T5-BBK-844

鼹鼠原野的伙伴们

新版

YANSHU YUANYE DE
HUOBAN MEN

[日] 古田足日 著　　彭 懿 译

桂图登字：20－2011－026

图书在版编目（CIP）数据

鼹鼠原野的伙伴们：新版/（日）古田足日著；彭懿译．—2版．—南宁：接力出版社，2013.9
ISBN 978-7-5448-3114-7

Ⅰ．①鼹…　Ⅱ．①古…②彭…　Ⅲ．①儿童文学—长篇小说－日本－现代
Ⅳ．①I313.84

中国版本图书馆CIP数据核字(2013)第157271号

责任编辑：胡　皓　　美术编辑：卢瑞娜　　封面插图：高　婧　　责任校对：陈朝辉
责任监印：刘　元　　版权联络：董秋香　　媒介主理：高　蓓
社长：黄　俭　　总编辑：白　冰
出版发行：接力出版社　　社址：广西南宁市园湖南路9号　　邮编：530022
电话：010-65546561（发行部）　　传真：010-65545210（发行部）
网址：http://www.jielibj.com　　E-mail:jieli@jielibook.com
经销：新华书店　　印制：三河市鑫金马印装有限公司
开本：889毫米×1194毫米　1/32　　印张：4.625　　字数：70千字
版次：2004年5月第1版　2013年9月第2版　　印次：2016年2月第5次印刷
印数：51 001—61 000册　　定价：16.00元

目录

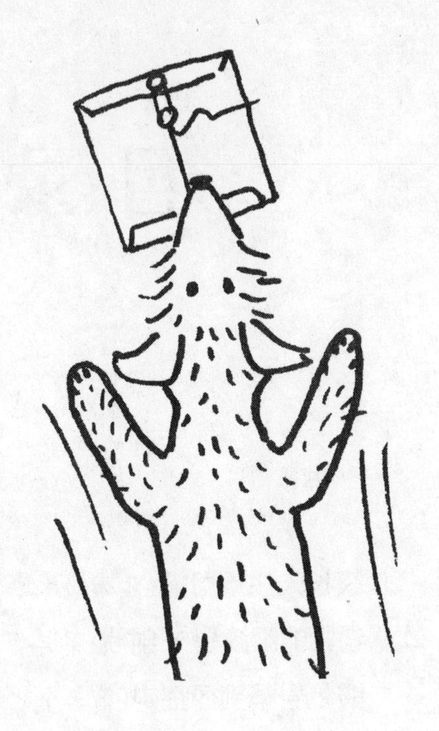

译者的话

彭 懿

1

这本书，和另外一本名叫《一年级大个子二年级小个子》的书，都是日本一位名叫古田足日的大作家写的。

它比《一年级大个子二年级小个子》还早出版了一年多。

是1968年12月出版的，也就是说，距离今天已经有四十五六年了。

一般的书，不要说四十五六年前，就是五六年前写的书，也会被人当成旧书，没人读、没人买了。

可是，这本有一个好听的书名的书，却和《一年级大个子二年级小个子》一样，直到今天，还长销不衰，已经卖出了上百万册！可以毫不夸张地说，五十岁以下的日本人(当然是爱读书的日本人)，都读过《鼹鼠原野的伙伴们》这本书。

它和《一年级大个子二年级小个子》一样，成为日本儿童文学的经典。

“经典”这两个字，可不是什么书都可以乱说一气的，它需要经受时间的检验——《鼹鼠原野的伙伴们》《一年级大个子二年级小个子》就像林格伦的《长袜子皮皮》、凯斯特纳的《埃米尔擒贼记》那些儿童文学的名著一样，经受住了时间的检验。不要说四十多年了，我相信，就是三百年过去了，它依然会是一本长销不衰的经典。

那么，它为什么会成为一本经典之作呢？

2

先让我们来看看《鼹鼠原野的伙伴们》讲了一个什么有趣的故事吧！

鼹鼠原野其实没有鼹鼠，它不过是一片荒地。

可这片荒地为什么会被叫作鼹鼠原野呢？

原来，小矮子明良、胖墩儿直行、高个子一男和眼睛滴溜儿圆的裕子这四个孩子，有一天钻出离家不远的猫头鹰森林，发现了一片长满了草的原野。

这片原野就是鼹鼠原野。

猫头鹰森林是因为有猫头鹰，所以叫猫头鹰森林。不过，你要是以为鼹鼠原野上有鼹鼠，那就大错特错了。明良、直行他们一次也没有看到过鼹鼠。

这时候，这片原野还没有名字。

明良他们的班主任是位年轻的女孩子，叫洋子。有一回上课时，他们打杉树枪。洋子老师从黑板前面回过头来说：“带杉树枪的人，把杉树枪全都放到桌子上。藏起来可不行呀，老师的眼睛可是X射线。”真的吗？X射线，是连衣服、桌子板都能穿过去的光。刚刚打过杉树枪的明良，坐立不安地把杉树枪悄悄藏到了书包里。只听老师说：“明良，把书包里的杉树枪拿出来；直行，从裤兜里拿出来。”好厉害的X射线！两个人脸都红了，把杉树枪摆到了桌子上面。

为了验证洋子老师的眼睛究竟是不是X射线，他们邀请洋子老师到新发现的原野上玩杉树枪游戏。洋子老师来了，可是她的眼睛不是X射线，她掉到了明良他们事先挖好的一个又一个陷阱里。他们举起了一块牌子：“看不出陷阱的老师的眼睛，不是X射线！”老师坐在陷阱的边上，笑了：“你们挖得真好啊，像鼹鼠一样。”

从那时候起，孩子们就把这片原野叫鼹鼠原野了。

鼹鼠原野当然不只是长草了，还有一处悬崖，还有甜甜圈形状的池子，池子当中有个岛，还有一条没人要

的流浪狗……

于是，就在鼹鼠原野上发生了许许多多好玩的故事。

可是一年后，鼹鼠原野却没有了。

鼹鼠原野上盖起了大楼。

3

如果一定要让我用一句话来概括这本书讲了一个什么故事，我想，《鼹鼠原野的伙伴们》讲的是一个孩子们玩的故事。

玩的快乐，可能要算是这本书最大的魅力了。

日本有评论家说：在日本的儿童文学中，目前还找不到第二本像这样鲜活地描写孩子们在野外玩耍、快乐游戏的故事。

一个“玩”字，贯穿了整个故事。

一片陌生的鼹鼠原野，对于四个二年级的孩子来说，无疑就是一座史蒂文森笔下的“金银岛”。尽管它没有可怕的海盗出没，没有埋藏着宝藏，但它充满了未知，充满了发现，我们完全可以这么说，四个孩子的鼹鼠原野之旅，就是一次冒险之旅。猫头鹰森林、红土悬崖、昏暗的矮竹丛、田野、池子、小岛、岛上小小的寺庙……都让这个故事染上了一点冒险或是探险小说的色彩。

就是在这片广阔的鼹鼠原野上，四个孩子玩出了一个又一个新游戏——用吸尘器抓虫子、悬崖跳伞、空中行走、发现小岛的大探险、乘坐木头洗衣盆“甜甜圈号”……每一个游戏，都是作为读者的孩子们想玩或是玩得出来的游戏。而且，这一个个游戏的场面描写得既明快又具体，甚至具体到了孩子们轻而易举就能模仿的程度。所以有书评说这本书“拥有一种刺激孩子本能的东西”。

就连古田足日自己也承认，这是一部描写孩子们游戏与成长的作品。

在另一部也是写成长的作品《一年级大个子二年级小个子》中，古田足日尝试了一个“节”的概念，他认为在孩子的成长中有一个“节”，意思就是说，在孩子的成长中有一天会产生一个突变。这也就是所谓的“成长的瞬间”，是说由于得到某个促使成长的原因、契机，孩子的成长就像爬楼梯或是转弯似的，一跃就得到成长。

而在这部《鼹鼠原野的伙伴们》中，他提出了一个

“群聚游戏”的概念。

开始动笔写这本书的时候，他刚从东京都中心的池袋搬到一个叫“东久留米町”的地方。那时的东久留米町，就和鼹鼠原野的风景差不多，有树林、原野，还有水沟。黄昏去散步的时候，常常会有三五成群的孩子拦住他问：“叔叔，几点了？”不是一次两次，而且每次都是不同的孩子们。那时的孩子和现在的孩子不一样，还没有手表，可妈妈又让他们5点或是5点半必须回家。他们在树林里或是水沟边上玩着玩着，就忘记了时间，一看到有大人经过，就会拦住问几点了。正因为发现了这个“群聚游戏”的现象，他写成了这部《鼹鼠原野的伙伴们》。

游戏，当然不是毫无意义地玩了。

古田足日在一次讲演中，说到《鼹鼠原野的伙伴们》的游戏时就曾说过：在游戏中，孩子学会了创造。

不过，四十几年过去了，我们身边的环境已经发生了巨大的变化，现在不要说日本了，就是在我们的身边，也几乎很难找到像鼹鼠原野那样的空地了。所以有人说，现在的孩子读《鼹鼠原野的伙伴们》，更像是在读一个发生在什么地方的遥远的世界的故事。

这不能不说是一个悲剧。

因为这个世界曾经距离我们那么近，就在我们的身边。

1993年1月，也就是这本书问世二十多年后的一天，在一所小学校，一个孩子对古田足日说："我们的游戏只是体育，而这本书里的孩子们的游戏是探险。"

这句话，永远地留在了古田足日的心灵里。

4

这本书，我们还可以读出更深的一层意义来。

日本的儿童文学评论家宫川健郎在《日本现代儿童文学》一书中，说到了《鼹鼠原野的伙伴们》。让我用他的一段话，作为这篇《译者的话》的结尾吧：

"《鼹鼠原野的伙伴们》，既是被称为原野的'乐园'的故事，同时又是一个丧失'乐园'的故事。《鼹鼠原野的伙伴们》的作者用同一种文体，写出了'乐园'及'乐园'的丧失。通过明良、直行、一男、裕子这几个昨天还在原野上游戏的孩子的眼睛，见证了'乐园'的丧失。"

写在前面

古田足日

介绍一下四个孩子。

小矮子明良和

胖墩儿直行，

高个子一男和

眼睛滴溜儿圆的裕子。

这四个孩子一直在鼹鼠原野上玩。

班主任石川洋子老师也常来。

你们怎么样？不一起来鼹鼠原野上玩吗？

什么，说不知道鼹鼠原野？

那么好吧，请翻开这本书，四个孩子会把你们带到鼹鼠原野去的。

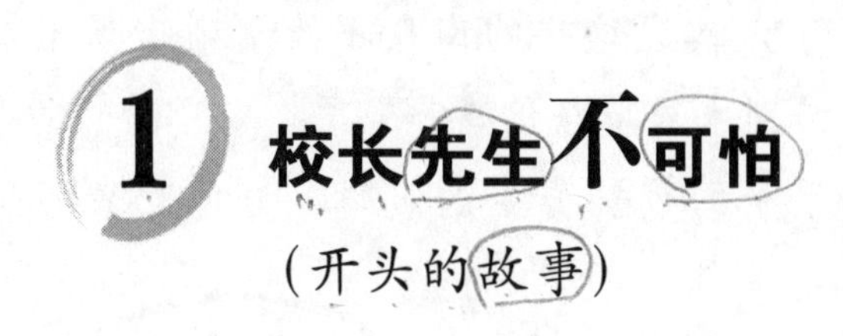

1 校长先生不可怕

（开头的故事）

樱花小学，是东京[1]边上的一所小学。

暑假结束的第二天，校长先生在开学典礼上说：

“暑假里，有孩子搞恶作剧——在川口老师家田里的南瓜上，用油性万能笔画上了鬼脸。”

孩子们哄地笑了起来。

不过，二年级二班的直行、一男、明良和裕子红了脸。

在南瓜上画鬼脸的，就是这四个人。

“干这种事的人也许觉得有趣，可川口老师

① 日本的首都。

却犯愁了，他说这样的南瓜不能拿到市场上去。不要干给别人添麻烦的事。”

胖乎乎的校长先生的眼睛，好像瞪着四个人似的。

那天回家的路上，小矮子明良说：

“校长先生好可怕啊。我以为他要点名字，心脏都要停止跳动了。”

“我腿也抖起来了。”

胖墩儿直行这么一说，裕子也说：

“校长先生这么可怕，那他的太太，也一定是个戴眼镜、喜欢刁难人的人了。”

“不是说校长先生家里有狗嘛，一定是条可怕的虎头狗①哟。”

① 英国产的一种头大、嘴扁、身矮、腿健的看家犬。

一男说。

第二天，另外一件不好的事情，就是四个人被班主任石川洋子老师训了一顿。

“你们几个为什么不交暑假作业本呢?没做吧?”

四个人的心脏又扑通扑通地跳了起来，低下了脑袋。

“在南瓜上搞恶作剧的，是你们吧？就是因为干这种事，才没做作业的。快点补做吧，能做多少做多少。”

过了三天，见四个人拿来了作业本，洋子老师说：

“秋天的展览会上，你们一定要拿出点什么。因为这可是挽回名誉的机会。”

“挽回名誉，是什么意思？”

直行代表四个人问。

“你们在南瓜上搞的恶作剧，还不做暑假作业，校长先生也好，别的老师也好，学校里的孩子们也好，全都认为你们是没有出息的孩子哟。不过，要是能在展览会上拿出让人惊奇的作品，老师也好，伙伴们也好，就会改变看法——直行他们到底还是能干的孩子啊！挽回名誉，就是这个意思。”

洋子老师这样回答道。

好吧，来挽回名誉。

四个人聚集在一男的家里，商量起来。

“机器人怎么样？用纸箱子做机器人，我们钻进去让它动起来。”

“没有更好玩的了吗？”

“是的呀。就没有更加、更加让人大吃一惊的东西了吗？洋子老师说了，要做出让人惊奇的东西才行。”

正在这也不行、那也不行地说着，直行笑了起来。

“对了，不是说眼泪是咸的吗？如果把用眼泪制成的盐拿出来，大家会啊地叫起来哟。”

“噢，是理科的实验呢，做做试一试吧！”

裕子最先赞成，明良和一男也干劲十足：“嗯，做吧！”

一男家里有个婴儿。说来也巧，婴儿正在隔

壁的房间里哭着。

一男跑到厨房，拿来个牛奶瓶，贴到了躺着的婴儿的脸蛋上。

婴儿吓坏了，哭得更响亮了。

“这样的话，能接好多眼泪呢。”

一男开心地说，可马上就又歪起了脑袋。因为顺着牛奶瓶里面流下去的眼泪，一到瓶底，就看不见了。

而且，裕子把婴儿抱了起来：

“可怜呀，让宝宝哭！”

“明天，到学校去收集吧。”

明良说。第二天，四个人一人拿了一个牛奶瓶，上学去了。

一男说：

“看着一郎。一郎是个专欺负人的孩子，肯定会把谁弄哭，那时，就冲过去收集眼泪。”

于是，四个人不管是一郎去喝水也好，去撒尿也好，都跟在后头，弄得一郎都没有办法欺负别人。

一郎到底还是发火了：

“你们为什么老是跟在我后头？”

一郎对着一男的脑袋，砰地打了一拳。

一男禁不住哭了起来。明良慌忙把牛奶瓶贴到了他的下巴上。

可是，只接到了两三滴眼泪。

打那以后，四个人跟着一郎转了一个星期，一郎觉得不自在，也就不再欺负人了。

洋子老师表扬说：

“你们让一郎不再动手动脚了呢，了不起呀。”

四个人挠起了脑袋。虽说被洋子老师表扬了，可牛奶瓶底，重要的制盐的原料——眼泪才只有一点点。

一天，直行摇晃着那个牛奶瓶，可怜巴巴地说：

“我还以为是个好主意呢，可这样下去，到展览会开幕时也积不下多少呀。”

遗憾是遗憾，可他们还是死了用眼泪制盐这条心，决定做其他的东西。但是，又想不出来好主意。

很快，展览会开幕的日子就临近了。要是这样什么也不做，就不能挽回名誉了。这回，四个人凑在明良家里，商量起来。

一男说：

“展出虫子怎么样？把秋天的虫子全抓来，让它们叫。”

“抓不到那么多呀。”

直行垂头丧气地这么一说，小矮子明良说：

“别泄气，再好好想一想。”

隔壁的房间里，嗡地响起了吸尘器的声音。大伙一声不吭，一边听着那个声音，一边想着。

“有啦！想出来啦！”

裕子高兴地叫出了声。

“用吸尘器就能抓到了。蚊子和苍蝇，吸尘器都能吸进来的。”

“对，试一试吧！我去跟妈妈借吸尘器。”

明良正要往隔壁房间跑，裕子把他拉了回来：

“别着急，明良。先商量商量到什么地方去抓呀。”

明良气呼呼地撅起了嘴，说：

“还用说吗，当然是虫子多的地方了！”

“那么，是猫头鹰森林了。”

直行说。

“如果是猫头鹰森林，那离我家最近了，从我们家拿吸尘器就行。”

裕子补充了一句。

“可就是从裕子家里开始，电线也不够呀。还得多找些。”

于是，大家又各自回了一次家，拿着电线，集中到了裕子家里。还有从好朋友那里借来的，电线变得长长的了。

猫头鹰森林，在田野的对面。一片矮树丛当中，挺立着两棵树干上长着青苔的高高的杉树。一到夜里，猫头鹰就在杉树顶上咕咕地叫。

“好像没有啊。”

钻到森林里的一男，失望地说。森林里太暗了，没长什么草。

“再往那边去看看吗？”

明良在杉树下面说。可是，大伙谁也不吱声。从这两棵杉树开始再往前，四个人里头，谁也没有去过，又暗又潮，连条道都没有。

嚁——嚁。

这时，隐约传来了蝈蝈[1]的叫声。

“那边！”

明良跑了起来。一男和裕子也跑起来，最后是拿着吸尘器的直行，一边拖着电线，一边跑。

“哇，不得了！”

---

① 一种像蝗虫的昆虫。长约4厘米，绿色或褐色，夏秋季节鸣叫。栖于草原。

明良站住了，追过来的三个人也站住了。

那是森林的边上，眼前是一片长满了草的原野。森林比原野高出一截，越往左越高。

森林在高起来的地方结束了，它前面是一片矮竹林，矮竹林的下头是陡峭的悬崖，悬崖的下头长满了高高的草。

蝈蝈的声音，就是从那堆长得很茂盛的草里传出来的。

明良跳到了原野上。一男和裕子也跳了下去，拎着吸尘器的直行，用屁股哧溜哧溜地滑了下去。

“有呀，有呀。”

明良叫道。明良在悬崖下边的草丛里一跑，虫子都纷纷蹦了出来。

直行擦了把汗，打开了吸尘器的开关。哗的一下，虫子就被吸了进去——要是真那样就好了，可实际上，只是开关啪地响了一声，吸尘器却连响也没响。

“唉，坏了吧？”

直行一屁股坐到了草上。裕子说：

“不会是电线吧？一定是电线脱开了。”

“我去看看！”

明良和一男跑进了猫头鹰森林。

不一会儿，两人就从森林里跑了出来，摇晃着吸尘器那头的电线，叫道：

“哎，果然是脱开了呀。”

“太短了呀。”

直行挠了挠头。

“我刚才在森林里跑的时候，还想，电线也没这么长啊。”

直行拖着脱开了的电线，拎着吸尘器跑到了这里。

“去求求那户人家，把电线接上去。”

裕子指着森林边上的房子。大伙朝那座房子跑去。

“呵呵，用吸尘器抓虫？”

胖胖的大婶笑了，把电线插到了插座上。四个人拉长了电线。

“来，干吧！”

明良握住了取下了吸尘刷的管子。一男打开了

开关。吸尘器嗡的一声，他们瞅见头一个被管子口吸进去的，是蝈蝈。

终于到了展览会的日子。学校的走廊上、教室里，都挂上旗子和彩带。

校长先生走进二年级二班的教室。

“嗬，这牛的木刻真好。哟，这黏土手工小镇，也像模像样呢！”

直行他们四个人，把装虫的笼子放在教室的一角，目不转睛地盯着校长先生。

——校长先生就不能说一句虫子什么的吗？但是，要是说了句什么，也许可怕呢。

不过，校长先生没有在装虫的笼子边上停下来，就要走过去了。

——啊，要走过去了。

四个人都咕嘟咽了口口水。

可就在这时，铃——铃，金钟儿[①]高声叫了起

---

① 蟋蟀科昆虫。长约2厘米，秋天鸣叫，雄性会发出铃铃的叫声。

来。

校长先生的脚停住了，朝虫笼里瞅去。

“这可够厉害的！金琵琶[①]、纺织娘[②]、蛐蛐儿[③]，什么都有呢！是直行你们几个拿来的吧？这么多虫子，是怎么抓来的呢？”

校长先生笑眯眯地问。

“用电动吸尘器。”

“吸尘器？嗯，吸尘器能抓虫？这是个好主意呢。”

校长先生走出教室以后，其他的老师、家长教师联席会的人以及高年级的学生们，一个接一个地来到二年级二班的教室。因为校长逢人便说：

“有孩子用吸尘器抓虫哟，这点子太有趣了。”

---

① 蟋蟀科昆虫。长约2.5厘米，体淡褐色，从头部至胸前有深褐色带纹。秋天鸣叫，栖于草地。

② 螽蟖科昆虫。体为绿色或褐色，长约3厘米。栖于靠近森林的草原。夏天鸣叫，雄虫发出嘎恰嘎恰的鸣叫声。

③ 又称蟋蟀。长约1—3厘米，夏秋季鸣叫，体为褐色或黑色。

见虫笼子前头围满了人，洋子老师对直行他们说：

“好像是挽回名誉了。”

接下来的星期日，四个人在裕子家集合，校长先生也来了。

“吸尘器是不是真的能抓到虫子，我想体验一下。”

校长先生戴着草帽，拎着吸尘器，校长太太带着狗。

校长太太不戴眼镜，是一个和蔼可亲的太太。狗不是虎头狗，是条茶色的日本小犬①。

——校长先生不可怕呢。

四个人高兴起来。

而且更叫人高兴的是，四个人发现了一个新的玩的地方，长着一大片草、虫子多得要命的原野。

四个人跑进猫头鹰森林，带着校长先生去那片新的玩的地方了。

---

① 一种短毛、立耳、鬈尾的日本种小狗。

2 老师的眼睛是 X 射线

（第二个故事）

直行他们给新发现的原野取了个名字，叫鼹鼠原野。

猫头鹰森林因为有猫头鹰，所以叫猫头鹰森林。不过，要是以为鼹鼠原野上有鼹鼠，那就大错了。直行他们一次也没有看到过鼹鼠。

没有鼹鼠，为什么起了鼹鼠原野这个名字呢？接下来的，就是这个故事。

*

鼹鼠原野还是没有名字的原野的时候。

一天，语文课上，砰，响起了劲头十足的一声。

“啊，疼，疼啊！”

坐在前排的一个男同学捂住了脖子。

正在黑板上写字的洋子老师转过身来。老师从地板上捡起淡绿色的杉树籽。

“哎，是谁啊？把教室错当成原野，上课时放起杉树枪来了？”

大伙一下静了下来。

“带杉树枪的人，把杉树枪全都放到桌子上。藏起来可不行呀，老师的眼睛可是X射线。”

真的吗？X射线是连衣服、桌子板都能穿过去的光。

刚刚打过杉树枪的明良，坐立不安地把杉树枪悄悄藏到了书包里。

只听老师说：

“明良，把书包里的杉树枪拿出来；直行，从裤兜里拿出来。”

好厉害的X射线。两个人脸都红了，把杉树枪摆到了桌子上面。

老师把杉树枪拿走了。

但是，放学的时候，洋子老师把杉树枪还给了明良和直行，说：

“拿到学校里来不好，不过，杉树枪好像挺好玩的，我也想打一枪呢。”

回家的路上，明良说：

“老师的眼睛，真的是X射线吗？”

“是呀，发现了我们的杉树枪嘛。”

“可没发现我的杉树枪啊，看。”

一男从运动服的口袋里掏出杉树枪，砰砰地打了几枪。

“我藏到桌子里头了。”

“咦，怪了。”

大伙不知道老师的眼睛是不是X射线了。

过了一会儿，裕子笑嘻嘻地说：

“喂，这样行吗？”

三个人围在裕子身边，听她说了起来。听完了，三个人干劲十足地叫道：

“好，干吧。”

第二天，洋子老师一进教室，就看到老师的桌子上放着一个细细长长的盒子，扎着黄色的丝带，盒子上写着“石川洋子老师收”。

“咦，这是什么呢？”

老师解开了丝带。教室里的孩子们都踮起

脚，看着那个盒子。

老师打开盒子。盒子里装了满满一盒子淡绿色的杉树籽。上面有一个小小的白色信封，信封上面，压着一把绿色的杉树枪。

“好漂亮的礼物啊。”

老师拿着杉树枪，笑了起来。然后，打开信封，出声地念起了里面的信：

下个星期六，在猫头鹰森林那边的原野上玩杉树枪。请来吧。

明良、直行、一男、裕子

念完了，老师转向直行他们，说：

“谢谢。我会去的。”

“我也去哟。”

“我也去。”

……

见别的孩子也都嚷嚷起来了，明良慌忙说：

“你们只能看哟。和老师玩杉树枪游戏的，是我们！”

星期六下午，猫头鹰森林里，一男在叶子开始变黄了的榉树上叫起来：

“来了，来了，老师来了呀。”

穿着红毛衣的洋子老师，出现在森林那头。

明良、直行和裕子朝老师的方向跑去，砰砰地打起了杉树枪。

“我不会输给你们的。”

老师也还击了。

“加油，老师！”

“顶住，直行！”

聚集在林子边上观战的孩子们叫道。

直行他们开始逃跑。老师朝观战的孩子们转过脸来，得意扬扬地说：

“怎么样，还是我打得好吧？”

老师去追直行他们了。她一脚踩穿了枯草，扑通一下陷到了地里。

“哇，中计了。是个陷阱啊。”

不过，是个浅浅的陷阱。老师马上就从坑里抽出脚，朝前跑去。

可扑通一声，又是一个陷阱。

“哇，不得了！”

这回老师往边上跑。

哪想到，又是一个陷阱。这回是一个大陷阱，老师两只脚一起掉了进去。

“老师输了。”

观战的孩子们大笑起来。

直行他们朝这里跑了过来，在老师前头竖起一块竹条夹着图画纸的牌子。

看不出陷阱的老师的眼睛，不是X射线呢！

图画纸上，用蓝色的万能笔这样写着。

“是的，是的，老师的眼睛不是X射线。”

观战的孩子们拍起手来，老师坐在陷阱的边上，笑了：

“是那么回事，我中计了。”

然后，挺佩服地说：

“不过，挖得真好啊。你们简直像鼹鼠一

样。”

“起了一大堆水泡呀！”

直行他们四个人摊开了双手让他们看。不论是哪一只手上，都鼓起了两三个水泡。

从这时候起，二年级二班的孩子们就把这片原野叫鼹鼠原野了。直到现在，整个学校的孩子们仍都这样叫。

3 鼹鼠号飘到了空中

（第三个故事）

寒假开始的日子，明良瞅着鼹鼠原野的悬崖，叹了一口气：

“唉唉唉，我想要钱哪。”

“我也想要啊。”

直行也摇晃着胖乎乎的身体。

裕子询问道：

“要钱干什么用呢？”

明良回答道：

“降落伞哟！我和直行想要降落伞，不是一把两把，是五十把。”

“降落伞是论把的吗？”

“嗯，嗯啊。”

被裕子一问，明良支吾起来。一男说：

“我要机器人。我想买一个做大机器人的材料。”

“我也是呀，想要个机器人啊。”

于是，降落伞组和机器人组，开始商量用什么方法来攒钱了。

那天，一男一回到家里，就坐到了妈妈的镜子前头，恭恭敬敬地鞠了个躬。

“恭贺新年。”

然后，看着镜子说：

“不使劲低头鞠躬，就做不成机器人了。”

“哎呀哎呀，对着镜子鞠躬，就能做机器人？魔法的镜子呢！”

妈妈奇怪地说。可一男还是专心致志，一遍又一遍地冲着镜子低头鞠躬。

同样，裕子也在家里，对着镜子练习着行礼。

“哟嗬，裕子也能规规矩矩地坐着鞠躬了？要是过年不下雨就好了。”

妈妈虽然在笑，可裕子却是认真的：

“你笑好了，你笑好了。”

这段日子，直行买了十个压岁钱的袋子，一个袋子里放了一枚 10 元硬币。

“这样一来，降落伞就能到手啦。”

明良也在做着同样的事情。

“要是能买五十把就好了。就是坏了，我也能从鼹鼠原野的悬崖上乘降落伞跳下去。”

光是想想就开心，心扑通扑通直跳。

明天就是除夕了，被派去买东西的裕子，在菜市场里碰到了洋子老师。

“被派来买东西了？了不起。”

老师的购物筐里，装满了纸包和蔬菜。

“对了，老师，降落伞是一把、两把地数吗？”

“怎么数呢？一把、两把是有点怪呢，不是一顶、两顶吧？怎么了？”

“明良他们说要买五十把降落伞。”

裕子把大伙想要钱的事说了。

“如果攒钱成功了，正月四日那天，就在鼹鼠原野集合，做降落伞的实验。”

“是吗？那么，我也祝你们成功啦！”

老师和裕子分手了。

到了正月四日，四个人按照说好的，在鼹鼠原野集合了。

“我进行得非常顺利呀。我分别给了爷爷、奶奶、叔叔们每人10元硬币压岁钱，大家高兴得不得了，给了我好多钱，比去年不知要多多少了。”

直行一说，一男也说：

“他们也说我的礼好，得到了好多钱哟。我练得好苦噢。”

“我也是哟。”

裕子说。明良最后一个说：

“我和直行已经买来了降落伞。不过，没能买五十把。”

明良撑起一把大人用的雨伞。

“这就是降落伞？我怎么只看见一把洋伞呢？”

裕子吃了一惊，明良却高兴地说：

“我和直行从我家的墙上往下跳，伞被吹翻了，我们被骂了一顿。不过，这回伞是我们的东西了，就是翻过去，也不在乎了。也让你们跳呀。”

噢，这下明白了。原来说的降落伞，就是雨伞啊，所以明良一把、两把地数。

“现在开始实

验吧。”

四个人往悬崖方向走去的时候，响起了一个声音：

“等一下。恭贺新年。”

“啊，是洋子老师。”

四个人异口同声地叫道：

“恭贺新年。”

洋子老师跑了过来，说：

“降落伞呢？让我也跳跳。”

“好，让老师第一个跳！”

老师爬到了悬崖上，撑起了伞。孩子们在悬崖底下仰头看着。

“跳啊！”

老师穿着裤子的腿往地上一蹬，老师的身体飘到了空中。

不过，紧接着就是扑通一声，老师一屁股摔到了悬崖下面的地上。

“疼死我了！”

脸都歪了。

“老师，伤着了吗？”

孩子们跑到了老师的身边。

“不要紧。不过，疼，疼。你们还是不跳为好，会受伤的。还是想想玩别的游戏吧！”

老师揉着腰，这样说。

从那以后仅仅过了十天，一个星期日，二年级二班二十名孩子聚集在了鼹鼠原野，仰头看着悬崖上。洋子老师也在。

悬崖上头，用木头和厚纸板做的、小孩子一般大的机器人“鼹鼠号”，撑着伞站在那里。

边上还站着直行他们四个人。

“跳啦！”

一男叫起来，从后面推了“鼹鼠号”一把。

撑着伞的“鼹鼠号”，轻轻地飘到了空中，在风中摇晃着落到了地上。

“哇，成功了！”

大伙一起鼓起掌来。

虽说降落伞只买了一把，机器人只做了一个，没能撑着伞从悬崖上跳下去，但直行、一男、明良和裕子还是满足了。

4 丢了的钥匙

(第四个故事)

星期六的晚上，洋子老师发愁了：

“唉唉唉，要是不借车，该有多好啊。”

前几天，洋子老师拿到了汽车的驾驶执照。才刚刚到手的。

不过，自己没有车。于是，向朋友借了辆车。

朋友嘱咐说：

“洋子是个粗心大意的人，千万别把车钥匙弄丢了。”

可是，那把钥匙还是被洋子老师弄丢了。

钥匙肯定是丢在鼹鼠原野上了。今天，洋子老师来向明良他们炫耀她会开车了。

但是，鼹鼠原野这么大，钥匙掉到哪里去了呢？

“不要紧。明天，让明良他们找一找，车子星期一早上还就行。”

洋子老师这样嘟囔道。

然而，外面无声无息地下起雪来了。如果鼹鼠原野被雪埋住了，车钥匙就不可能找到了。

这会儿，明良正从壁橱的隔板上，一遍又一遍地往下跳。

一边往下跳，还一边吧嗒吧嗒地蹬着腿。这是空中行走的练习。

“奇怪，怎么走不好哪？”

明良擦了把汗。

那是四五天前的事了。喝得烂醉、情绪高昂的爸爸回来了，说：

“明良，我教你空中行走的方法吧！”

“这怎么可能？”

“这么想，正是习惯了在地上走的人的愚蠢的地方。听好了，右面的脚向前迈吧，趁它没有

落下来，就向前迈左脚。趁左脚还没有落下来，刷地迈右脚。要是能飞快地重复这个动作，人就能空中行走了。”

“嗯，是真的吗？”

明良思考起来。趁一只脚还没有踩到地面，迈出另外一只脚——如果是这样，的确是能在空中行走。怎么想，也没有错。

而且，要是真的能空中行走的话，那可是了不得的事。第二天，妈妈去买东西的时候，明良实验起来。

练着练着，他觉得好像是能走一两步了。明良奔到鼹鼠原野上，对直行他们说：

“我能在空中行走了！”

直行他们笑起来。

“那你走给我们看看哟！要是真的能走，我们给明良买一百个好吃的奶油泡夫。”

裕子这么说。

“不过，如果不能走，你就要反过来给我们买奶油泡夫，十个就行。”

一男补充道。

于是，就定下来，明良在猫头鹰森林的树上做空中行走给他们看。

时间就定在明天——星期日。

今天真是巧了，妈妈不在家，明良拼命苦练起来。

第二天，院子和路上都是白茫茫的雪。

明良他们四个人，在通向鼹鼠原野的路上飞奔。裕子一边跑，一边说：

“明良，积着雪哪，万一掉下来也没事。”

“哼，我怎么会掉下来？”

明良一副傲慢的样子。

前头的一男站住了：

“哎呀，洋子老师！”

原野正当中，洋子老师正在用铁锹挖雪。

“你们来帮我找车钥匙吧！”

老师把铁锹举了起来，大声叫道。直行大声回叫道：

“没用哟，老师。等到雪化了吧！”

“算了，我不再求你们了。”

老师一转身，把屁股转向了四个人，又一个人挖了起来。白茫茫的原野上，看上去要比平时辽阔得多，正当中的老师，看上去非常的小。

于是，裕子说：

“帮你找哟，老师！不过，得等一下。现在明良要空中行走。”

“空中行走？这可得看一看。”

老师把铁锹往雪里一插，朝裕子他们这边跑了过来。

大伙朝猫头鹰森林的树底下走去。

明良爬到了树上。

“走啦！”

明良吧嗒吧嗒地蹬着腿，跳了下来。

大伙哄地笑了。还没走，明良就掉到了雪上。

掉下来的明良向前头摔去，手插进了雪里。手摸到了一个什么玩意儿，明良一把把它抓住，站了起来。

“太遗憾了，明良。请我们吃奶油泡夫吧！”

直行说。

“还是走不了啊。”

明良一边这样说，一边摊开了手。手上的东西闪了一下。

“啊，钥匙！车钥匙！”

洋子老师叫起来。

那天，洋子老师钱包里的钱，全部都买了奶油泡夫。虽然不到一百个，但大伙吃了个够。

“虽然没能在空中行走，但今天是个好日子。”

明良高兴地说。

5 男孩子的女儿节

（第五个故事）

三月三日这天，是女儿节[1]。

从学校回家的路上，裕子说：

“今天，我不去鼹鼠原野玩了，你们来我家吧。偶人都漂亮地摆出来了，桃花也供上了，还有纸罩烛灯。大伙一起来玩弹子儿，玩扔小布袋吧！”

明良撅起了嘴：

“我们是男孩子哟，怎么能玩弹子儿什么的！”

“是哟，是哟。扔小布袋什么的多难为情，

---

① 三月三日，日本有女儿的人家搭设坛架，陈列偶人，上供白色甜米酒和桃花，又叫桃花节、偶人节。

还是去鼹鼠原野玩吧！”

一男也说。

“那么就别来了。”

裕子气呼呼地跑开了。

不过，她在岔道上站住了，面对着这边，用双手围成喇叭说：

“要是不想来玩，也可以来呀。有寿司[①]，有糕点，还有白甜米酒哪！”

“说有寿司和糕点！”

见直行要转向裕子了，一男慌忙说：

“喂，喂，我家里有一个能放得特别大的放大镜呀。我把它带到鼹鼠原野上去，捉个虫子看看吧。”

“嗯，还是这有意思哟！女儿节，是喜欢过家家的女孩子的节日，男人怎么能去！”

明良也说。

---

① 一种日本特有的食品，在用醋、盐和糖调味的米饭上，加鱼肉等捏成饭团。

三个男孩子回了一趟家，放下书包，然后集合在了鼹鼠原野上。

一男从兜里掏出一个盘子那么大的放大镜。

首先看手心，手纹被放得好大。

“哇啊，横纲[1]的手啊！”

然后，三个人照完了树叶，又去照枯草丛中一动不动的异色瓢虫。

不过，马上就玩厌了。

坐在枯草上，直行无聊地说：

“为什么有女孩子的节日，没有男孩子的节日呢？”

“五月五日，是男孩子的节日呀。”

明良说完，一男就晃起了脑袋：

“错了呀，五月五日是儿童日。是男孩子和女孩子共同的节日。”

“那，男孩子不是吃亏了？不公平啊。啊——啊——”

---

① 相扑是日本一种传统的竞赛项目，横纲是相扑冠军大力士的称号。

直行悲哀似的把双手伸向了天上。

明良和一男都忘记了自己拒绝了裕子的邀请，他们觉得直行说得太对了。这会儿，裕子肯定在吃糕点和寿司了，可三个男孩子却坐在冷飕飕的鼹鼠原野上。

不过，如果不在这里咬牙熬下去，不能算是男孩子。一男说：

“那，我们来过男孩子的女儿节吧。在原野上，做一个大偶人。”

明良说：

“别去学女孩子哟！那还不如去探险。大探险！今天，没有碍手碍脚的女孩子。”

“是啊，赞成。”

因为直行也开口了，一男也决定去探险了。

“好，出发——”

三个人走起来。

三个人一边不时地用放大镜看看中途的树、草叶什么的，一边走到了寺庙边上。

到这个寺庙为止，他们和裕子一起来过。但

再往前，三个人谁也没有去过。

可今天是大探险啊！三个人越过寺庙,往前走。

一穿过昏暗的矮竹丛，就是一片田野了。对面望得见森林。

直行说：

“我饿了。”

“马上就上三年级了，坚持住！”

“肚子饿，和上三年级没有关系啊。”

“坚持走到那片森林。”

三个人钻进了森林。

“啊，池子！”

肚子饿了的直行，竟跑了起来。树那边，看得见水面。明良和一男也跑了起来。

“不得了，是大发现呢！”

三个人站在岸边，眺望着池子。

是一个炸面圈①形状的池子。正当中有个岛，岛上长着几棵粗大的树，树下有一座小小的寺

① 面粉加鸡蛋、糖、发酵粉，做成环状或圆形面圈，油炸而成的食品。

庙。

岸的这头距离岛上，大约有学校的两间教室那么远。水面上，映出了四周的树影。

三个人激动得心扑通扑通直跳。一男说：

“到了夏天，就能游泳了。”

直行回答说：

“嗯，水好干净啊。”

水好像是泉水，清澈得看得见水底的石头。还有鳉鱼①游来游去。明良说：

① 一种淡水小鱼，全长约4厘米，成群在水面附近游动。栖于平原地带的池沼、溪流中。

“想抓鲻鱼啊！”

不过，池子看上去挺深，下不去。

抓不了鲻鱼，三个人就在池子周围探起险来了。

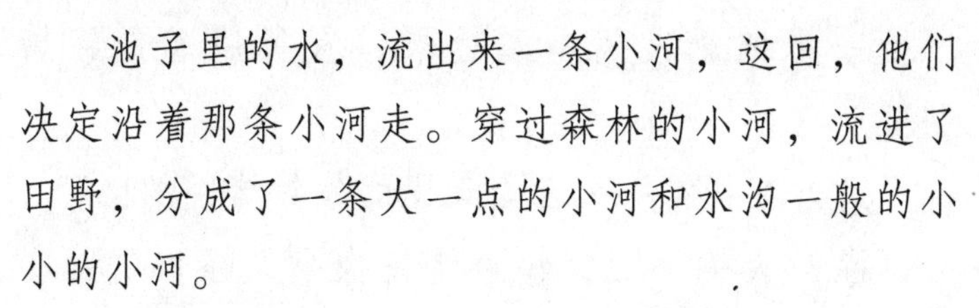

池子里的水，流出来一条小河，这回，他们决定沿着那条小河走。穿过森林的小河，流进了田野，分成了一条大一点的小河和水沟一般的小小的小河。

在那条小小的小河边走了没几步，直行想起了一件非常重要的事。

“对啦，我饿了哟！”

一想到饿，顿时腿就重了起来。

“我已经饿得走不动路了。”

直行坐到了沟边上。

“这可怎么办？没有什么吃的东西吗？”

明良和一男在兜里翻了起来。明良从兜里掏出来一个压碎了的铜锣烤饼[1]。

---

① 一种日本点心，形似铜锣，用面粉、鸡蛋、白糖等制成，中间夹馅。

“有这个，给你吧！”

“可，只有这么一点吗？”

直行想了一下，说：

“一男，把放大镜借给我。”

一男把放大镜递了过来，直行照着铜锣烤饼。

“怎么样？一个巨大无比的铜锣烤饼哟！”

在放大镜下面，铜锣烤饼像个妖怪似的膨胀起来了。

“嗯，想出来个好主意。”

明良和一男赞叹道。

当直行一边用放大镜照着铜锣烤饼，一边吃完了的时候，一男叫道：

“啊，鲫鱼！”

脚底下的河沟里，银色的鱼鳞闪着光。

明良从田野里捡起一个别人扔掉了的破水桶，挽起裤子，把脚插进了水里。

“啊——啊啊，好凉！不过，是大探险嘛。”

“你不是男孩子吗？坚持住！”

一男说。直行把刚才他说自己的话，还了回去：

“马上就上三年级了，坚持住！”

傍晚，大探险队回来了。大探险队的腿，自然地朝着裕子家走来。

在裕子家门口，直行小声说：

“裕——子。”

穿着和服的裕子走出来，微微一笑，低头行了一个礼：

“请进！”

她说。

三个男孩子眼睛都有点睁不开了，裕子看上去，就像是一个新娘子。

“裕子，为了祝贺女儿节，我们给你带来了鲤鱼。”

明良把破水桶递了过去。

“啊呀，这不是鲫鱼吗？”

一男把放大镜递了过去。

“用这个看一看，看上去就和鲤鱼一样。”

四个人笑了起来。里头的屋子里点着纸罩烛灯，飘来了桃花的香味。

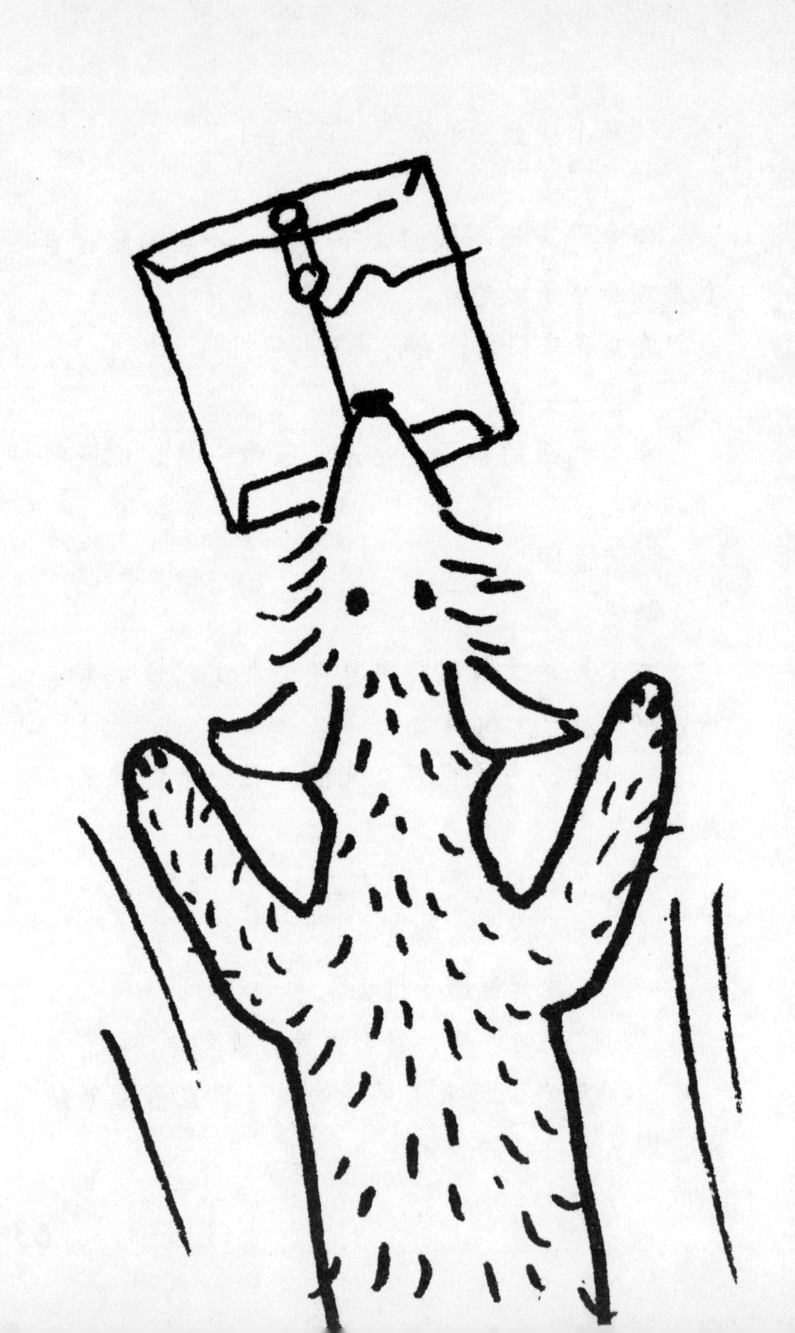

6 弃狗茶郎

（第六个故事）

放春假了。

鼹鼠原野上的枯草，开始变成了绿草。

一天，直行他们四个人去鼹鼠原野，原野上有条茶色的小狗在刨地。

“啊，是‘刨这里，汪汪’①。”

“能刨出来宝物吗？”

四个人到了边上，小狗也不逃。

不过，它不刨了，用前爪紧紧地抱住个空罐头盒子，这要是被抢走了可不得了似的，汪汪地

① 日本民间故事。说一个老爷爷领小狗刨地，小狗用脚扒土，叫道：“刨这里，汪汪！”老爷爷一刨，刨出了宝物。

吼着。

“笨蛋，谁抢你的空罐头盒子！”

“是弃狗哟，没有项圈。”

“嗨，喂它这个吧。”

明良从兜里掏出脆饼干，扔了过去。狗飞快地扑向脆饼干，一口吞了下去。

这时，从它的喉咙里传来了咕咕的怪声，狗翻白眼了。

“唉，谁让你嚼也不嚼就吞下去了。”

一男在狗的后背上砰地敲了一下，从喉咙里传来啪的一声，圆圆的脆饼干又整个飞了出来。狗呼地喘了口气。

这回，直行把饼干拿在手上，说：

“前爪翘起来，翘起来，翘起来。”

可是，狗不翘前爪，只是围绕着直行一圈一圈地转圈子，要扑上来抢饼干。

直行把饼干放到地面上，说：

“先别吃。”

可狗一口就把饼干吞了下去。裕子笑起来：

“没有一技之长的狗呢。不过，我想养它啊。”

大伙都这么想。回家的时候，四个人在那条小狗的脖子上系了根绳子，又把绳子绑到了猫头鹰森林的树干上，这才回家。

那天晚上，直行他们四个，每个家里的孩子都在央求妈妈：

“我们家里也养条狗吧！”

然后，每个家里的妈妈都同样地回答道：

“谁给狗做饭，还不是妈妈？对不起，我已

经忙得够戗了！”

可是，一男的家里，有点不一样。

“是呀，养只聪明的狗，也行啊。”

“嗯。”

一男犹豫着，今天鼹鼠原野上有条狗的事，是说，还是不说呢？妈妈好像是看见了那条狗似的，说：

“不过，被人扔在那边的贪吃的笨狗，可不行。”

就这样，一男没有把那条弃狗的事说出来。

第二天早上，四个人又聚集在了鼹鼠原野上。

呜呜。

猫头鹰森林里，传来了凄惨的叫声。到里头一看，狗把自己脖子上的绳子，全部都缠到了树干上，动弹不了了。

“你这家伙，真是条笨狗啊。”

一男解开了绳子，说。

“偷偷地养起来吧？”

“嗯，好好训练训练。”

明良一副跃跃欲试的样子。裕子摸着狗说：

“我们给它买个项圈和链子吧！”

“要是养的话，就要取个名字。”

直行说。

“因为它是茶色的，叫它茶郎吧！茶郎，茶郎。”

一男一伸手，狗跳了起来，舔起他的手来了。于是，茶郎这个名字就定了下来。

第二天吃早饭的时候，一男坐在那里，把塑料袋藏在了双膝之间。

趁爸爸读报纸、妈妈盛饭的空儿，一男把盘子上的咸沙丁鱼干刷的一下倒在了袋子里，米饭也倒了进去。

“哎呀，小菜已经没啦？”

妈妈看着一男的盘子，一脸的奇怪。

吃完饭，一男就拿着袋子，去鼹鼠原野了。

直行他们也来了。直行和明良也拿着塑料袋，裕子还拿来了水壶和盘子。

一男把自己袋子里的东西，倒在了那个盘子

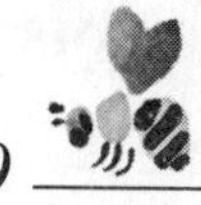

里。直行他们的袋子里装的是晚上的饭。

茶郎吃完了盘子里的饭，又吧嗒吧嗒地舔起一男那个空袋子来了。

起风了，袋子飞了起来。

茶郎跑去追袋子了。

开学典礼的日子，四个人也是先来到鼹鼠原野，喂茶郎吃饭。

“茶郎，我们从学校回来以前，你一个人玩吧！”

一男摸了摸茶郎的脑袋。茶郎一副毫不在意的样子，吧嗒吧嗒地吃着饭。

“唉，汪的叫一声也好呀。”

明良发火了。

“走吧，上学去吧。”

裕子对大伙说。到今天为止，茶郎吃完了饭，四个人总是和茶郎玩上一阵子，但今天却没有那个工夫了。

四个人跑起来。

跑了没多远，茶郎在后头嗷嗷地吼起来。

大伙一看，茶郎拉紧了系在树上的链子，像马似的，前爪举了起来，用后爪站着，吼叫着。

那架势，好像是在说：你们全走了，这怎么行？

“你现在才叫，晚啦！”

明良冲茶郎大声嚷了一句。四个人又跑了起来。

出了鼹鼠原野，往右拐的时候，从后面蹿出一个茶色的东西，撞到了一男的脚上。

“啊，茶郎！”

茶郎扑向大家，一圈一圈地转着圈子。

“哎呀，项圈断了啊。这么小一条狗，力量却够大的。”

裕子瞪圆了眼睛。

“不对，这项圈是个便宜货呀。”

直行说。

四个人去买链子和项圈的时候，买了一个在货架上积满了灰尘、退了色的最便宜的项圈。

“再不快走，就要迟到了哟。茶郎，回去！”

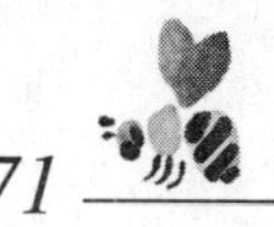

明良冲茶郎扔了块石头。茶郎还以为是给了它什么东西，把鼻头凑到了石头上，哼哧哼哧地嗅着。

“你真是一个笨蛋啊。你要是会翘前爪，会拉手，我就会对妈妈说养你的。”

一男叹了口气。

茶郎本来是跟着四个人的，但到了飘出烤鱼香味的人家前头时，就坐下不动了。

趁着这工夫，四个人朝学校跑去。

开学典礼结束了。

四个人一出校门，就听汪的一声，茶郎从停在那里的汽车背后跳了出来，欢快地吼叫着。

“啊呀，这狗，是一男的狗？”

洋子老师拿着个装着文件的纸袋，从学校走出来。

“哎呀，这车，是老师的车？”

“是的呀，不错吧？”

洋子老师把袋子放到了车顶上，得意地说。

“太好了，我们又在老师的班上。”

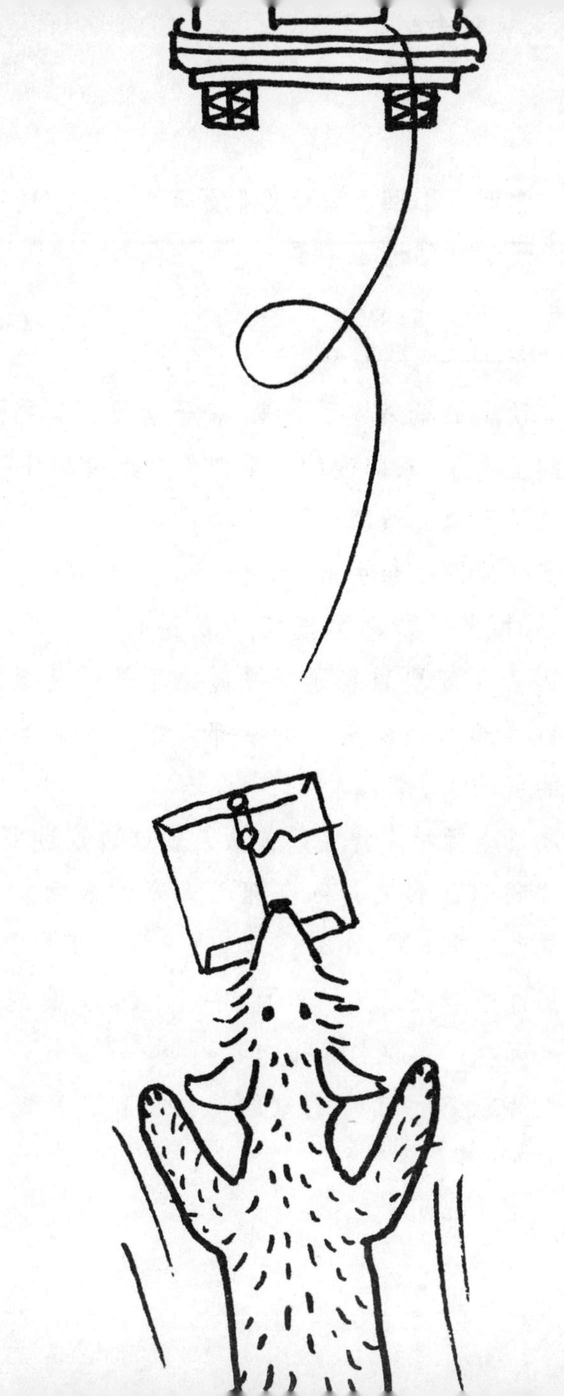

“谢谢。下回，我让你们坐车啊。”

洋子老师钻进了车里。

车子开了。

“啊——啊——啊。”

车顶上的纸袋飞了起来。袋子就要掉到路边的脏水沟里去了，茶郎嗖的一下把那个纸袋叼住了。

“了不起，茶郎！”

直行他们拍起手来了。

不过，一男急忙把袋子从茶郎那里拿了过来，因为茶郎要舔袋子。平时，不是舔装饭的袋子，就是追装饭的袋子的茶郎，把文件袋当成装好吃的袋子了。

洋子老师把车停在了前头，朝这边跑过来。

“啊啊，我真是一个粗心大意的人啊。从今往后要注意啊。”

但洋子老师这天，又干了一件粗心大意的事。

老师往一男家打了个电话：

“今天多亏了你们家的狗救了我，真是条聪明的狗呀。”

但是，就因为这个电话，一男家里就决定养聪明的狗茶郎了。

茶郎戴上了洋子老师买来的闪闪发亮的上好的项圈，一男一边摸着它，一边说：

“多好啊，茶郎。多亏了洋子老师粗心大意！”

7 发明发现的故事

（第七个故事）

五月。坐在鼹鼠原野的草上面，直行说：

“啊啊啊，要是没有发现九九表，就好了。”

“为什么呢？”

裕子这么一问，明良轻蔑地说：

“连这你都不懂？”

“要是没有发现九九表，我们就不用学什么九九表了嘛！”

“是这样啊。”

裕子觉得有道理，但直行却慢慢地晃了晃头：

“不是哟。要是到今天为止，还没有人发现

九九表的话，我，不，就算是我们吧，发现了九九表，就能得到诺贝尔奖[1]了。”

“就是。九九表多简单、多方便啊。”

一男说。

于是，大伙陷入了沉默。洋子老师曾经说过：

“因为有了九九表，人类的生活才有了大发展呀。如果没有九九表，让你说出‘汽车以 1 小时 80 公里的速度行驶，8 小时走了多少公里’的答案，你就得

80 + 80 + 80……

“一个个地算吧！可是，因为有了九九表，一下子

$8 \times 8 = 64$

“就得出了 640 公里的答案呀！盖大楼的时候也好，向月亮发射火箭的时候也好，买馒头的

① 诺贝尔（1833—1896），瑞典化学家、工程师、发明家。发明炸药，成为世界炸药之王。诺贝尔奖即根据其遗嘱设立。由物理学、化学、生理学或医学、文学、和平、经济学六项组成。

时候也好，九九表都起作用。”

洋子老师的演说，虽然听不大懂，但总之九九表对人们的生活帮助太大了。

不过，想一想，让人类生活大发展的九九表，也太简单了，你都要说“什么呀”了。一样的数字，加上几遍，记住得出的答案就行了。这就是直行他们三年级的学生，也能发现的啊。

所以，大伙都不吭声了，九九表已经被人发现了，他们想，这太遗憾了。

可是，明良立刻就来了劲头：

“那么，从现在开始，我们也发现点什么吧!”

直行说：

“发明也行哟！”

于是，大家决定到明天为止，要发明或是发现点什么。

回到家里，明良琢磨起来了：发明什么好呢？

如果能造出去未来世界的时间机器，肯定能得到诺贝尔奖。可是怎么造呢？一点也不知道。

明良想，管他呢，把材料找到再说吧，就进到了堆杂物的房间里。

他的目光，落在了工具箱里的门滑轮上。明良把门滑轮和搁在房间角落里的旧木屐[①]拿了出来。

把门滑轮装到旧木屐上，虽说和时间机器有点不一样，却做成了旱冰鞋木屐。

“啊，行啊，不论是哪一个，都是能动的。”

明良说。

第二天上第二节课的时候，教室里响起了哧哧的窃笑声。窗边的直行，头一点一点地打起盹儿来了。

洋子老师说：

“直行，睡着了可不行哟！”

直行像一下子醒过来了似的，站了起来。

“什么，我睡着了？我明明是睁着一只眼睛的。”

---

① 木制底板上装有木屐带的鞋子。

“睁着一只眼睛？那是怎么回事？你两只眼睛都闭上睡着了的呀。”

大家哄地笑起来。直行红着脸说：

“我啊，我想，要是发现了睁一只眼睛睡觉的方法，就能得到诺贝尔奖了。所以，我是在练习哪。”

大家又笑了起来。直行使出了全身的力气说：

“要是睁着一只眼睛睡觉，小偷进来了，立刻就知道了。夜里睡觉的时候，也能读书了。这样，一整天都能工作学习了，人类的生活就会大发展了哟！而且，如果一只眼睛读书的话，租书铺的租金，也许还能半价呢！”

洋子老师说：

“原来如此啊。不过，人一只脚走不了路吧？同样的道理，只用一只眼睛睡觉也是不行的呀。”

直行的让人类的生活大发展、租书铺的租金减半的大发现，就这样落空了。

从学校一回来，四个人聚集在鼹鼠原野上。一男挠着脑袋，说：

“发明真是太难了，我什么也做不成。”

明良把旱冰鞋木屐拿了出来，裕子把用彩色印花纸糊的箱子拿了出来。

“裕子，这是什么？”

“抽线机呀。妈妈总是说针线盒里的线乱七八糟的，我就想到了这个。”

直行打开盖子，大伙朝箱子里瞅去。

“哇，好漂亮。”

三个男孩子喊起来。

里面也糊着淡蓝色印花纸的箱子里，排列着五个线轴。白的、红的、黄的、粉红的和黑的线，还有一把拴着铃铛的小剪刀。

五个线轴的线，伸向侧面，线头从箱子侧面的开的孔里伸了出来。抽粉红色的线的地方，贴着粉红色的纸；抽黄线的地方，贴着黄色的纸。

“哎，裕子到底是个女孩子啊！”

一男把那个抽线机放到了自己的手上。这时，后面突然伸出一只手，把箱子夺走了。

“是谁？”

大伙回头一看，是一郎。一郎是班级里的头号淘气大王，这些天，常到鼹鼠原野来玩。

“还回来哟！”

大家去追一郎。

明良朝一郎的腿扑了过去，一郎重重地摔倒了，那个抽线机飞到前面去了。

一男正要去取那个抽线机，但一郎比他快了一步，用右脚踢倒了明良，直起身，又用左脚踢飞了抽线机。

被踢飞了的抽线机，在离地面稍稍有那么一点高度的地方，散开了，线轴和剪刀都掉到了地上。

一男慌里慌张地拾起了黑线轴。但是，其他的四个线轴，骨碌骨碌地在地上滚开了。

明良不追一郎了，去追白线轴了。直行要去抓滚远了的黄线轴。裕子则去追赶红线轴了。

可是，没有人去追粉红线轴，它拖着长长的线一路滚去，跳到了水坑里。

逃掉了的一郎，在对面叫嚷道：

“你们的发明，什么用也没有啊！”

裕子抱着满是污泥的线轴和坏了的箱子，要哭出声来了。

第二天，一男把一个厚纸板的小箱子，细心

地用纸包好，带到了鼹鼠原野上。

“什么东西？”

“是喷嚏发生器哟！用它来对付一郎。”

“喷嚏发生器？是怎样一个结构呢？”

“这以后再告诉你，别跟我来。”

一男一个人钻到猫头鹰森林里，戴上口罩，扒开纸，把箱子拿了出来，用线吊到了树枝上。

再后来，四个人轮流穿上明良发明的旱冰鞋木屐溜着玩的时候，一郎来了。

“喂，一郎，来看我的发明呀。就挂在这边的树枝上哪。”

一男在森林前头喊道。

“又是个没用的发明吗？”

一郎轻蔑地说完，就钻进了林子里。一男在外头说：

“就是那个箱子哟，挂在松树枝上的那个。”

“什么，不就是个箱子吗？”

用蓝绳子吊着的茶色的小箱子，正好在一郎的眼前，他用手指啪地弹了一下。紧接着，“阿

——阿——阿嚏！”他打了一个巨大的喷嚏。

“你这个坏蛋！”

一郎攥紧拳头，向箱子砸去。想不到，粉末一样的东西飞了出来，喷嚏打得更凶了，连眼泪都扑簌簌地掉了下来。

“阿——阿——阿嚏……”

一郎从林子里奔了出来，一男说：

“喂，一郎，被人家收拾了，滋味不好受吧？”

“知……知道了。可是，我也想和裕子玩啊。”

一郎真的哭了起来。

“哎呀！”

裕子不由得一阵心疼。以前一郎欺负她所干下的坏事——把裕子的文具盒藏起来啦，往垫板上画个妖怪的画啦，揪头发啦什么的，一下子都浮现在了脑子里。

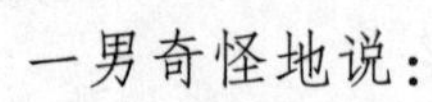

一男奇怪地说：

“想玩的话，别欺负人，说出来不就行了吗？”

一男挨洋子老师批评了：

“喷嚏发生器实在是太过分了。发明必须是对人类有帮助的东西。”

喷嚏发生器——不过是在箱子里，装上胡椒粉，用锥子扎了许多个小孔。

“对人类有帮助呀！从那以后，一郎就不再欺负人了嘛。”

一男绷起了面孔。

直行说：

“旱冰鞋木屐，对我们四个人类有帮助了哟！”

“不过，得不到诺贝尔奖。还是九九表如果没被发现就好了。”

一男说。

接着，裕子不吱声了。裕子有了叫一郎的新朋友。

裕子发现，男孩子欺负女孩子的时候，有时是因为喜欢那个女孩子，才欺负她的。

算不上是能让人类大发展的大发现。虽然是个小小的、小小的发现，但对裕子来说，却是一个让人心跳的发现。

8 星期日离家出走

(第八个故事)

今天明明是星期日，可怎么啦，明良却背着书包出了家门。

脸上还有黑黑的泪痕。

“啊啊啊，这个世上可真没有意思啊！”

现在，明良觉得自己是整个世界上最不幸的孩子了。

这天早上的菜，是葱花酱汤、纳豆[1]、黄萝卜[2]

① 一种日本食品，蒸后发酵的盐大豆，含丰富的蛋白质和维生素。

② 又叫“泽庵咸菜”，日式酱菜的一种，是用米糠和食盐腌制的黄色萝卜。

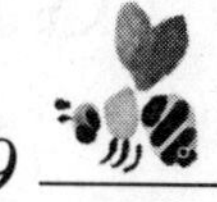

和鸡蛋，这是明良不幸的开端。

明良只吃了鸡蛋。

“喂，明良，把纳豆和酱汤吃了！有营养的啊。”

爸爸说。

“啊啊啊，为什么净是不好吃的东西有营养呢？”

明良没有吃。

早饭后，明良做起杂志的增刊上的飞机来了。做完了，东西丢得乱七八糟，妈妈说话了：

“明良，收拾一下哟！”

“看完电视再说。”

“先收拾了！”

爸爸叫道。

“爸爸是个坏蛋！”

明良把爸爸正看着的电视频道给换掉了。这下把爸爸惹火了，他要打明良脑袋一下，又怕把脑袋打坏了，就改成打屁股了。

于是，明良就一边哭着，一边走到桌子那里，背上书包，对妈妈说：

“我走了，是爸爸坏嘛，我讨厌这个家。”

明良以为说出了这话，妈妈一定会把他拦住，可是，妈妈一下子把门打开了：

“那就给我出去吧，不回来也行。”

明良被轰了出来，门砰地关上了。没办法，明良朝鼹鼠原野走去。

直行他们已经聚集在鼹鼠原野上了。

“怎么啦，明良，还背着书包？”

一男询问道。

明良把早上发生的事说了。

“那你得回到家里去认错。像我，什么都吃才胖的呀。”

“不，我绝对不认错。”

“可是，往后怎么办呢？”

裕子担心了。

“算了，算了，想下去就成了秃头了。先玩吧！”

明良放下书包，跑到了悬崖下面。

“呀，找到啦。”

悬崖下头的草丛里，扔着一个大纸板箱。

明良钻到箱子里，屈膝坐了下去。虽然腰以上都露在了箱子外面，但大小正好，既不觉得紧，又不觉得松。

明良两手抓着箱子边，抬起屁股和脚尖，用力朝前拉。箱子朝前蹿了一大步。

“对啊，把这个箱子当船吧！”

见明良笑嘻嘻的，裕了说：

“那么，鼹鼠原野就是鼹鼠海了。”

明良的“纸板箱号”，航行在鼹鼠海的绿色的草原上。

“暴风雨来了！”

直行把船摇得直晃。

“哇——是胖墩儿台风啊！”

明良掉进了暴风雨的大海里。一男代替他坐上了船，用吓人的声音叫道：

“我是鼹鼠海的大海盗，夫林顿船长！”

“好吧，干掉海盗！”

明良和直行朝海盗船扑了过去。一男说：

“不行呀，你们又没有船！”

“可是，只有一个箱子嘛。”

直行手就那么抓着船边，发起愁来了。裕子说：

“商场卖灯具的地方，堆着一大堆纸板箱，我去拿。对了，明良，顺便把你中午的面包买回来吧？”

“我没有钱呀。”

明良垂头丧气地这么一说，直行说：

“离家出走的时候，就是把储蓄盒砸了，也要带上钱。”

“嗯，下回开始那么做。”

“下回开始那么做，现在来不及了啊。有钱的人把钱拿出来。”

说着，裕子从红颜色的小钱包里掏出 30 元硬币。直行从裤兜里掏出 25 元硬币，一男从帽子的折缝里掏出用纸包着的 20 元硬币。

“一共是 75 元。”

裕子把大伙的钱装进红颜色的小钱包，跑了。

裕子没有马上去商场，而是先回到自己的家

里。

“妈妈，我今天要在鼹鼠原野吃中午饭。”

裕子从妈妈那里，拿来了当做中午饭的面包，这才去了商场。买完明良的面包，用面包店里那红颜色的电话，给洋子老师打了个电话：

“老师，不好啦，明良背着书包离家出走啦。”

听了裕子的话，洋子老师在电话那头沉默了一会儿，才说：

“我有了个好主意。”

听完了那个“好主意”，裕子把面包装到纸板船里，用绳子拖着，回到了鼹鼠原野。

大伙一人有了一个纸板箱，就又玩起海盗的游戏来了。

没多久，就到了中午，直行和一男也回到家里，对妈妈说：

“求求你了，让我去鼹鼠原野吃中午饭吧！”

两个人都拿着面包，回到了鼹鼠原野。

大伙吃完了面包，四个海盗出发去无人岛探险。

“无人岛上，说不定有过去海盗的宝物哟。”

裕子说。

无人岛就是猫头鹰森林。

四个人钻进了大热带雨林。

“咦，奇怪呀，有张地图哟，地图！”

走在前头的一男喊了起来。大伙围着榉树的树干，你看看我，我看看你。

树干上贴着一张写着“宝物地图”的地图。

“前天来的时候，还没有呀。”

明良歪着头说。一男说：

“新的纸哟！是昨天或者今天贴上去的，谁干的恶作剧，走吧。”

不过，谁也没有动。为了寻找宝物才登上无人岛的，发现了地图，怎么能就这么走过去呢？就连说“走吧”的一男，眼睛也被地图吸引住，迈不动步子了。

“特意贴的地图，不看仔细，多不好。”

直行大胆地伸手揭下了地图，大伙向地图瞅去。

“是猫头鹰森林的地图哟！这是榉树。”

是用绿色和茶色的蜡笔画的地图。

“啊，让我看看。”

明良从直行手里拿过地图，把它翻了过来。

地图的反面有骷髅的标记，它的下面写着字：

从榉树向东走十三步，向北走十步，向西走八步，站在樱花树下。

四个人照着它说的做了。

“什么啊，啥也没有不是？”

树下头，四个人东看看，西看看，什么也没有找到。

“要是埋在地上，应该有痕迹啊。”

“果然是恶作剧！”

这时，直行往上面看去。

“在那里！”

在樱花树的叶子之间，看得见一个黄色的纸包，是系着绿色丝带的糕点的盒子。

一男爬上去，把纸包从树枝上降了下来，直行在下面接住。

丝带上，绑着一个带图案的卡片。卡片上写

着："这个宝物，是发现者的东西。"

"意思就是说，我们吃了也不要紧。"

直行笑嘻嘻地打开了包装纸。这回，箱子上有一个信封。

"带信的糕点。"

直行把信封交给明良，打开了盒子的盖子。

"乖乖，海盗船糕点！"

最上头摆着一艘扬着白帆的奶油船的糕点！是看着就让人直流口水的好吃的海盗船糕点。

大家叹了一口气以后，明良打开了信封，从里面取出一张纸，上面这样写道：

被丢在岛上的海盗，终于饿死了。

"这是什么意思呢？"

大伙觉得奇怪，可好吃的糕点就这么放在眼前，再思考下去，也太难为他们了。

"吃了再说吧。"

直行说。大伙都表示赞成。而且，吃完了以后，也把思考的事忘到了脑后。肚子吃得饱饱的海盗们，又在鼹鼠海坐船出发了。

鼹鼠海刮起了大风暴，海盗们的船一艘接一艘地沉没了，四个海盗漂流到了无人岛上。

“因为是无人岛，就要盖房子。”

海盗一男说。四个人盖起了房子。

纸板箱打开当了地板，屋顶也是用的纸板箱，四个角绑在树枝上就成了。剩下来的两个纸板箱，当了墙。在适当的地方挖个洞，绑到了树干上。

“这墙感觉可不怎么样！”

裕子这么说了，男孩子们就掰下树枝，插到地上，挡住了纸板箱的墙。树枝和树枝之间，还插上了花。

然后，把剩下的糕点吃了。

很快就到了傍晚。不知为什么，大伙都不想说话了。坐在纸板箱地板上的屁股，觉得凉了起来。

直行说：

“我肚子饿了，想回家了。”

“回家不行。明良多可怜呀，你这个胆小鬼

海盗！”

被裕子一说，直行不说话了。

明良悲伤起来。照着那张宝物地图找到的糕点，连一块也没有了；钱也连一元硬币都没有了。现在，一男他们还和自己待在一起，等一下，大伙就要回家了。

那样，明良就是孤单的一个人了。现在这会儿，要是在家里，就会从厨房里传来妈妈切菜的声音，飘来一股香味了。这么一想，明良就觉得冲鼻子了。

脑子里，啪的一下，附在糕点上的信里的话，像霓虹灯一样地亮了起来：

被丢在岛上的海盗，终于饿死了。

——是的，我也许会被饿死！

明良站了起来。

“对不起，我回家认错去。”

“我们和你一起去。”

一男说。

明良家里，已经为四个小孩子准备好了四份寿司饭[1]，等在那里了。

“洋子老师来过电话了，说你们傍晚肯定回来。”

妈妈说。

“洋子老师？”

正要问，明良明白过来了。那张宝物地图上的字，原来是洋子老师的字。

“可是，洋子老师是怎么知道的呢？”

大伙脸上都露出了不解的神色，只有裕子一个人笑嘻嘻的。

吃完了饭，一边吃草莓，直行一边说：

“这世上真是好啊：有好吃的东西，还有好朋友。”

确实是这样啊，明良也想，他心里有一种非常幸福的感觉。

---

① 在用糖、醋等调料调好的大米饭上，撒上青菜、鱼、炒鸡蛋丝、紫菜等。

9 炸面圈池子的炸面圈号

（第九个故事）

放暑假了。

聚集在鼹鼠原野上的直行他们，钻到了猫头鹰森林的树阴里。

“好热啊，想游泳啊。”

胖乎乎的直行，不停地擦着汗说。

“我也会游泳哪，能游五米多远。”

裕子这么一说，明良撅起了嘴：

“五米，算什么会游泳？像我，能游二十米哪！”

“今天，学校的游泳池轮到五年级。”

一男抱着膝盖说。

四个人都觉得遗憾。这么热的天气，天这么

蓝，往水里一钻，溅起水花，该是多么舒服啊！

四个人安静了一会儿，听到蝉的叫声，一男喊了起来：

“对啦！女儿节时不是去过一个池子吗？去那里不就行了！”

“对啦，把那么好的地方给忘了。”

四个人连忙回到家里，拿来装着游泳装的袋子，搭在肩膀上，向着那个池子——炸面圈形状的炸面圈池子出发了。

一走近那片有池子的森林，就听到了孩子们的喧闹声和水花声。四个人跑了起来。

池子里，挤满了大大小小的孩子。不过，没有认识的孩子。

直行问一个和自己差不多胖、同样三年级左右的孩子：

“你们是哪个学校的？”

“野蔷薇小学的，你是别的学校的？”

“嗯，是樱花小学的。我们也能游泳吗？”

“有什么不行？池子又不是谁的东西！”

胖男孩笑了。

于是，鼹鼠原野的四人组在森林里换上了游泳装，下到了池子里。水比学校的游泳池里的要凉。

“我去岛子了！”

能游二十米的明良，朝着池子中央的岛子游去。一男也游游走走，跟了上去。

长在岛上的树的树枝上，爬着两三个孩子。

游过去的明良他们，也上了树，骑到了伸到池子上的粗树枝上。

从这根树枝上向下看，水流流出来的河这边，像是变浅了，有片沙滩——叫是叫沙滩，顶多也就两张榻榻米[1]左右宽——小小孩们玩着沙子，互相撩着水。

裕子也在那近旁游着。

再往那边一点，正好从河口开始，到岛边的海棠树之间，有好几根桩子，桩子上面竖着牌子。

---

①日式房间铺在地板上的厚草席。

牌子上写着：

这一带危险，不要靠近。

那桩子附近，有四五个六年级左右的孩子，小小孩子们一过来，就会给送回到沙滩那边去。

“直行在哪里呢？”

当明良的头往左边看去的时候，一男叫了起来：

“哇——太厉害了，橡皮船！”

明良慌忙又转头往右边看去。

明良的头往右边一转，就看见从对岸的森林里走出来一个五年级左右的孩子和一个三年级左右的孩子，两个人抬着一艘闪闪发亮的橡皮船。

池子岸边附近的孩子们，呼啦一下子聚集到了小船的周围。全都是小小孩。

“喂，让我坐坐吧！”

孩子们你一句我一句地说。

抬来小船的两个孩子，两手叉在腰上，挺着

胸脯，把围住小船的孩子们看了一圈。两个人长得很像，像是兄弟俩。

三年级左右的那个孩子说：

“今天，让行雄坐吧。不过，你得鞠个躬，当我们的仆人。”

孩子们当中的一个，连忙低头一下一下地鞠

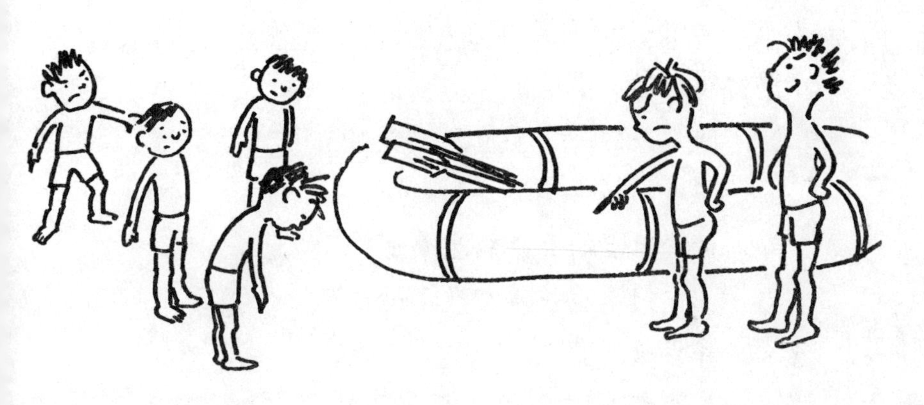

起躬来。

“我是荣介大人的仆人。”

“哼，这两个人摆臭架子呢！”

树枝上的明良愤怒了。

小船被推到了池子里，离了岸，像是哥哥的

那个五年级的孩子划着它，开始前进。

很快，这艘闪闪发亮的橡皮船，就从明良和一男他们的树枝下穿了过去。一男说：

“啊啊啊，我也想要小船。”

明良不吱声，看着小船向前划去。

这时，他们在小船的对面看到了直行。直行和那个胖男孩，就是下到池子之前问过校名的那个胖男孩，两个人抓住一根剥了皮的圆木头，把脚打得吧嗒吧嗒响。

圆木头的一头要撞到橡皮船上了。

“看，妨碍交通了呀。”

橡皮船上的五年级生嚷道。

“你们不也妨碍交通了吗？”

胖男孩还嘴说。

等小船划过去了，那孩子从圆木头上撒开了手，向岛子游去。直行也照他的样子，向岛子游去。

两个人游到了岛子，明良和一男从树上下来，朝两个人所在的地方走去。

“这孩子的名字，和你一样，也叫明良

哟！”

直行开心地说。

“哎？虽然都叫明良，可大不一样呢！对不起，一个是胖子明良，一个是矮子明良。”

一男吃了一惊，轮流看着两个明良。

然后，四个人朝裕子所在的沙滩游去。

直行把胖子明良介绍给裕子。

“请多关照！”

裕子低下头说。胖子明良开玩笑地问：

“头一次来炸面圈池子，感想如何？”

恰好在这时，小船从沙滩前面经过。沙滩上的孩子们不玩了，羡慕地盯着小船。小船仿佛是故意要显示显示似的，慢慢地动着。

裕子回答胖子明良：

“这个池子里有沙滩，有岛子，有树，比学校的游泳池不知要好多少了。不过只有一件事，就是那艘小船摆臭架子，不好！我要是有了小船，我会让这个池子里所有的孩子都坐上去的。”

“没有就没有办法了。我求过妈妈给我买艘

小船，可妈妈说不行。”

胖子明良那挺大的身子缩成了一团，泄气地说。

裕子说：

“大伙一齐买小船，不就行了。”

“是的。什么就没有办法了，别泄气，让我们拥有一艘小船吧！”

矮子明良叫道。

“赞成！我有储蓄。”

一男举起了双手。

“小船的名字，就叫炸面圈池子的炸面圈号吧！”

直行说这话时脸上的表情，好像小船已经到手了似的。

第二天，直行和胖子明良爬到了岛子的树上，矮子明良、一男和裕子正在这边的岸边游泳。拿着橡皮船的荣介，和哥哥信介，从森林里露了出来。

胖子明良扯开嗓门叫道：

“各位，炸面圈池子里的各位，请听我说！”

正要向橡皮船围过去的孩子们，正在玩着的孩子们，全都吓了一跳，抬头向岛子的树上看去。

“各位，各位都想要小船吧？”

胖子明良和直行异口同声地说。

“想要呀！”

“想哇！”

一男、矮子明良和裕子嚷了起来。在他们的带动下，别的孩子们也说：

“想要呀！”

“想要的人，请拍手！”

池子里、池子外，响起了劈劈啪啪的拍手声。那拍手声实在是太大了，想说什么的信介和荣介只好又闭上了嘴。

“想要的人，大家一起出钱去买一艘小船吧！马上回家，去看看能拿出来多少钱。如果买来小船，起个名字叫炸面圈池子的炸面圈号，大家轮换着坐吧！”

“赞成。买炸面圈号！”

一男叫道。

“买炸面圈号！”

其他的孩子们也叫了起来，他们跑出森林，回家去了。信介在他们的后面喊：

“当我的仆人的留下！橡皮船要6000元哪，你们买不起的。不留下来，绝对不让你们坐小船！”

几个已经跑着的人，站住了。

昨天当过信介仆人的行雄，也在裕子前面站住了，说：

“听哪边的好呢？”

“还用说吗，当然是买炸面圈号啦！那样，你就不用低三下四的了，就可以自豪地坐在船上了。”

“嗯，那么，我回家去向妈妈要钱了。”

行雄又跑起来了。

裕子、一男和矮子明良进森林，把纸贴到了橡树上。

纸上这样写着：

待在岛上的两个人，也立刻来到了这橡树下面的事务所。

“能收集得起来吗？大孩子都留在那里了，我真担心。”

一男指着“这一带危险，不要靠近”的牌子。

那里照旧水花飞溅，六年级生好像一个也没有减少。

“大孩子的零花钱才多嘛。”

裕子说，胖子明良脸上的表情有点悲哀：

“那边的六年级生，一人一次都坐过小船了，不用低头鞠躬。”

“都是六年级生了，还让小船那么神气活现的，太不好了。我去跟他们提意见。”

矮子明良跑了过去，胖子明良也跟在后头追了上去。

矮子明良在沙滩上叫道：

“六年级的人！这里是购买炸面圈号事务

所。没有愿意出钱买炸面圈号的人吗？”

本来是想提意见的，可面对六年级生，只憋出了这么一句话。

可是，六年级生谁也不回答他。

这回，胖子明良生气地说：

“六年级的人，谁也不想买炸面圈号吗？”

于是，一个正在游泳的孩子，朝这边看着叫道：

“三年级的小孩子收钱，怎么能让人信任？”

“那么，就准备让荣介一直神气活现下去吗？”

“关我们什么事，他又没对我们神气活现。”

六年级生又游起泳来了。

两个明良没办法了，回到了事务所。

过了一会儿，穿着游泳装的男孩子，从森林那头跑了过来。

“我出200元买炸面圈号。”

那个二年级生左右的孩子，一边呼哧呼哧地

喘着气，一边说。

“谢谢。”

裕子把膝当桌子，打开本子，问了男孩子的名字，把名字和金额写到了本子上。

两个明良和其他的孩子们，瞅着本子，笑嘻嘻的。要是一个人出200元，肯定能买得起小船。

不过，接着来的行雄，把捏着的手打开的时候，大伙全都失望了。只有两个10元硬币，汗津津的，闪着光。

行雄不解地问：

“20元不行吗？”

“没关系，没关系。”

因为裕子这么说了，行雄便高兴地朝池子方向跑去了。

后来，十多个孩子一起来了。先头的女孩问：

“大家都交多少？妈妈说了，只能跟大家交的一样多。”

“有人交637元，有人交20元。”

一男回答。637 元，是一男储蓄盒里所有的钱。

“20 元也好，637 元也好，一样能坐小船吗？”

另外一个男孩子问。

“嗯，一样呀。”

“什么啊，那么，多出钱的人不是亏了吗？”

“是呀，少出钱的合算呀。我就出 10 元吧！”

孩子们嚷开了。

“大家如果都只出 10 元，就买不了小船啦！”

胖子明良说。

这时，池子那边传来了喊声：

“荣介说，只要鞠一个躬，就让坐小船。”

孩子们哄地朝池子那边奔去了。

剩下来的，只有鼹鼠原野的四人组和胖子明良了。

“进行得不好啊。”

一男叹了口气。矮子明良站起身来，把“购买炸面圈号事务所”的纸，嚓的一下撕了下来。

行雄朝这里跑了过来。

“嗨，收集到多少钱了？肯定可以买炸面圈号了吧！信介说我们买不起什么炸面圈号，没有的事，是吧？”

行雄挨个地看着五个人的脸。裕子说：

“对不起，现在收到的钱，还买不起呀。”

行雄一脸的失望。

“这算不了什么，大哥哥们加把劲，绝对能把炸面圈号弄到手！”

矮子明良用大哥哥的口吻说。

这天回家的路上，直行说：

“我们要是像一寸法师[①]那么小就好了。那样的话，就能坐在碗一样的船里了。谁家没有碗呢！”

“是呀！”

① 日本民间故事中的主人公，说是有一对老夫妇许愿祈祷，得一子，身子极小，但能降妖捉鬼。

这时裕子发出了兴奋的声音：

“洗衣盆不就能坐了吗?要是拿洗衣盆当船……”

“洗衣盆一进到水里，就沉了哟。”

明良说。

“你说的那是现在的洗衣盆哟！要是过去的木头洗衣盆，就不会沉了。”

四个人都觉得在哪里见过木头洗衣盆似的。但是，现在大伙家里的蓝的、绿的洗衣盆，都是一放到水里就沉下去的洗衣盆。

一男叫起来：

“想起来了，我们家杂物间里有一个！是我们家京子出生的时候，乡下的伯伯送来的。说要用真正的洗衣盆给小孩子洗澡。”

“要是放在杂物间的东西，就是不要的东西了吧？把它拿来吧，买也行。”直行的眼睛都放光了。

“不过，洗衣盆好大啊，自行车驮得了吗？”

怎么把洗衣盆运到池子里来呢？一男担起心来了。

第二天，炸面圈池子的孩子们，看见车子在森林里停了下来，吃了一惊。车顶上驮着一个洗衣盆。

“到啦，到啦。”

直行、一男和胖子明良跑了起来。另外五六个孩子也跑起来。

裕子和矮子明良从车里下来，两个人一人抱着一根当桨划的棒子。

洋子老师也下来了，把绑在车顶上的洗衣盆卸了下来。

“再见！”

车子开走了以后，胖子明良和矮子明良两个人滚着洗衣盆，直行和一男扛着桨，裕子带头，向池子的岸边走去。

“什么呀，看呀，看呀！要坐那个洗衣盆啦。”

荣介在拴在岸上的橡皮船上叫道。周围的孩子们也嘲笑起来：

“咿呀，嘿！洗衣盆！洗衣盆！”

胖子明良还击道：

“比起小船，坐洗衣盆要有意思多了！”

“是的，是的。”

这边也嚷嚷起来了。

行雄小声地担心似的说：

“可是，真的能坐吗？”

“你在那里瞧着吧。”

矮子明良充满了自信地说。一男和直行把洗衣盆放到了池子里。

洗衣盆边上开了个洞，系了根粗绳子。直行一拉粗绳子，已经摇摇晃晃地朝池子中央漂去的洗衣盆，又回到了岸边。

“好了，坐上去吧！”

矮子明良右手拿着桨，左手抓住岸上的草，左脚轻轻地放进洗衣盆上。

按照矮子明良的想法，接着放右脚，然后往洗衣盆里一坐——这本该是没有问题的。

可想的和事实完全是两码事。放到盆里的脚，越是使劲往下踩，盆越是使劲往下沉，根本就撑不住。

“喂，怎么啦？怎么啦？”

对岸的荣介他们，又嘲笑起来了。

矮子明良下决心松开了抓着草的手。可就在这一刹那，洗衣盆骨碌一歪：

扑通！

猛的一下响起了水声，矮子明良掉到了池子里。

“咿呀，嘿！洗衣盆！洗衣盆！”

荣介他们哄笑起来。矮子明良在池子中一站起来，荣介就喊：

“喂，好不容易想出来的主意也不行哪。”

“什么啊。刚才不过是实验一下坐在上面舒服不舒服。”

矮子明良满不在乎地说。

“果真没有钱，就没有炸面圈号吗？”

一个昨天出了200元的二年级生，懊悔地说。

“唉，唉唉。”

两个明良、直行、一男和裕子，也都是一脸

的懊悔。

“气死我啦，爬树去！”

矮子明良爬到了树上。接着是一男，然后，直行让胖子明良推着屁股也爬到了树上。

直行一骑到树枝上，就叫了起来：

“它！抓住它就行了！”

直行从树枝上咚的一下跳了下来，摔了一个屁股蹲儿，直行一边揉着屁股，一边说：

“一爬到树上我就看到啦！喏，就是上次我和胖子明良抓住当救生圈的圆木头啊。把两根圆木头并排排在一起，再把洗衣盆牢牢地钉在上面。”

“大发现啊！下来啊！”

裕子招呼树上的一男他们。二年级生说：

“森林里，有躺倒的杉树。”

跳下来的一男，和那个二年级生，还有裕子一起去找躺倒的杉树了。

直行和矮子明良跳进池子里，去捞漂浮在池子里的圆木头。

胖子明良领着行雄，去取锯子、锤子等木工

工具。

一回来，胖子明良就钻进了森林，用锯吭哧吭哧地锯起躺倒的杉树来了。可是，树干太粗，怎么也锯不断，手掌上马上就磨出了水泡。

矮子明良把他换了下来，胖子明良正擦汗，一个大个子站到了两个人的边上：

“我来锯吧！”

两个明良吓了一跳。那孩子，就是昨天说“荣介他们神气活现，关我们什么事”的六年级生。那个六年级生从矮子明良那里拿过锯，冲着池子喊了起来：

“喂，来支援炸面圈号吧！牌子那里留两个人就够了，余下的人，全到这边来！”

聚拢过来的六年级生、五年级生翻起工具来。

“这把锯不行，去拿把大的吧！”

“要大号的钉子！”

“把三号钻子也拿来！”

“还需要粗绳子！”

两个人就那么穿着游泳衣，骑上自行车跑

了。剩下来的六年级生们，一眨眼的工夫就把杉树给锯断了，除掉了顶上的树枝，扒光了树皮。

“为什么来帮我们呢？”

矮子明良问那个把大伙叫来的六年级生。

“看你们那么卖力，觉得不来支援炸面圈号，就太难为情了。”

那孩子回答道，脸有点红了。

自行车组回来了，工具到手了的六年级生们一眨眼的工夫，就把杉树锯开了。

“好了，下水仪式啦！你们里头谁来坐？”

六年级生对胖子明良和鼹鼠原野的四个人说。

“嗯嗯，让这孩子坐吧！”

矮子明良极力忍住了自己想坐的念头，指着行雄说。行雄兴奋得脸都涨红了。

行雄坐到了洗衣盆里，两个六年级生把挂在两根圆木头上的粗绳子背到肩上，拉了起来。其他的大孩子们，从后面和边上推圆木头。

“嗨哟！嗨哟！”

炸面圈号在陆地上动了起来。

六年级生们肩上就那么背着粗绳子，进到了池子里。两根圆木头上的洗衣盆船，扬起了小小的水花，滑进了池子里，轻轻地浮在了水面上。

“炸面圈号，万岁！”

这边那边响起了万岁声。

一男和矮子明良游了过去，骑到了两根圆木头的前头；胖子明良和直行，骑到了圆木头的后头；裕子拿着一根长长的竹竿，站在洗衣盆里。

“出发，前进！”

直行叫道。裕子用竹竿朝岸上顶去，炸面圈号猛地动了起来。坐在前面圆木头上的矮子明良和一男，划起桨来。炸面圈号在“这一带危险，不要靠近”的牌子那边，遇到了荣介的橡皮船。

“嘿嘿，那也叫船，那是野蛮人的船哟！”

荣介对坐在船上的三年级左右的孩子说。那孩子不理他，反过来行雄说：

“炸面圈号才出色哪！这船，世界上只有一艘嘛！”

“不用低头，是大家都能轮流着坐的船啊！”

矮子明良说。胖子明良和直行齐声说：

“是我们大伙造的船呀！不是什么卖的船呀！”

裕子和一男虽然没有说话，但这艘稍微有点摇摇晃晃的炸面圈号，却让他们在心底里感到满足。

10 再见，鼹鼠原野

（最后的故事）

一天，明良来到了鼹鼠原野上，翻斗车正在突突地往原野上倒土。

明良的心里扑腾了一下，不由得往四下看去。他还以为走错了地方，走到一个不是鼹鼠原野的地方来了呢！

不过，红土的悬崖也好，猛地从悬崖上的矮竹丛里伸出来的松树也好，都确确实实是鼹鼠原野上的东西。原野左边的森林，也没有错，就是猫头鹰森林。

倒完了土的翻斗车，在草地上压出红土的车痕，发动机轰隆轰隆地响着，驶出了原野。

明良正要走，可又一辆翻斗车驶进了原野。

“小家伙，不闪开危险啊！”

驾驶室的窗子打开了，年轻的男人吼道。

明良冲进了猫头鹰森林，穿过森林里昏暗的小路，在田里的路上跑着，后面扬起了一道白色的尘土。横穿过巴士公路，有十多幢小房子连成一片，其中的一幢，就是裕子的家。

“不好啦！”

明良叫着，跑进了裕子家。

直行和一男也到裕子家来了。明良把事情的原委一说，裕子就冲进隔壁的房间，拨起电话来了。

“往哪里打电话？”

直行问。

“还能是哪里，学校呗！求洋子老师去调查一下是哪里的工程。老师也是一块在鼹鼠原野上玩过的伙伴嘛。”“啊，喂喂，洋子老师，我是裕子……”

洋子老师答应傍晚给她回音。

到这天的傍晚可真是漫长啊。时间太捉弄人

了，玩起来一下子就过去了，可你若等待，却慢得要命。

四个人去了趟鼹鼠原野，看两辆翻斗车轮流往原野的草上倒土，就又回到裕子家里看了电视，可就是不到傍晚。

“不是世界上的钟表都停住了吧？”

直行甚至说出了这样的话。

可是，一男到外面去买今天出版的周刊《少年期刊》时，时间又开始走了。卷头画《三十年后的世界》，让他们着了魔。

“不得了！大楼全部都是三十层以上，比新干线[1]还要快的单轨铁路有好几条哪！”

“还有登月观光火箭。”

大楼的顶上，成了直升机的起降场，高速公路上的汽车，不是人开而是遥控行驶。

电话铃声终于响了。

“哎……哎，市营[2]？说是市营？”

---

① 在日本的主要城市之间以每小时200公里以上的高速行驶的子弹头列车。

② 市里经营。

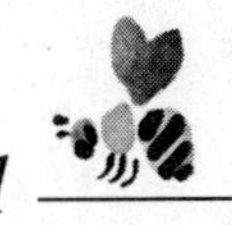

说了一会儿，裕子放下电话，像是生气了似的说：

“老师冷冰冰的。说是要建市营住宅，请我们克制一下。”

四个人你看看我，我看看你。万万没有想到，当成靠山的老师，竟会说出“请克制一下”的话来。

裕子的妈妈端着点心过来了：

“怎么了？大家怎么一脸的沉重？”

“鼹鼠原野要被毁掉了呀！知道吗，妈妈？”

“那里是要建市营住宅吧？没有房子住为难的人太多了，只好忍耐了。那里的住宅要是建好了，我们家也要申请的呀，房租便宜嘛！”

妈妈放下点心走了以后，裕子说：

“大人全都是冷冰冰的！”

直行他们也点点头。

第二天的下午，四个人到鼹鼠原野一看，这回还不只是翻斗车了，连推土机也来凑热闹了。

推土机把那些被翻斗车倒下来的土埋住的矮树推倒了。

“去市政厅！”

直行说。

四个人乘上了巴士。

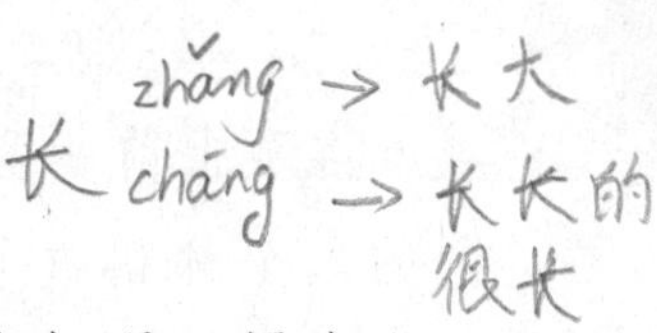

“我们是来见市长的。”

在市政厅的接待处，接待小姐听一男这么一说，吓了一跳：

“有什么事吗？”

“鼹鼠原野的市营住宅工程，开始动工了吧？这太让我们为难了。”

“鼹鼠原野？啊啊，是‘绿之丘住宅’啊。是的，那里是叫鼹鼠原野，到住宅课去吧。看，那边有一个 8 号窗口，去那里说说试一试。”

四个人来到了 8 号窗口。这回，明良说：

“我们是为了绿之丘住宅的事，来和市长先生对话的。”

“市长先生很忙，有什么事吗？”

窗口的男人说。

“希望能停止施工。”

男人张大了嘴巴，瞪圆了眼睛，但马上就气呼呼地说：

“喂，市政厅忙着哪！不是来说废话的地方。”

“不是废话，那是我们玩的地方啊！”

裕子上前一步说。她的声音非常大，引得四周的人全都朝四个人看了过来。这下，那个男人涨红了脸，大声吼道：

“你们是哪所学校的？我去告诉你们的老师。回去！回去！”

说完，就把脸转了过去，不理四个人了。四个人这个气呀，气得都要哭了。

在回家的巴士上，明良贴着另外三个人的耳边悄声说：

“哎，这样干怎么样？”

第二天，在鼹鼠原野上干活的人们吃了一惊，陆陆续续来了三十几个孩子。

四个六年级左右的大孩子，爬到了猫头鹰森林的树上，放下绳子，把孩子们扛来的板子拉了上去，穿在树枝和树枝之间，用绳子牢牢地绑在

绳子

了树枝上。

当做完了两个像大鸟的巢一样的东西，大孩子们爬了下来，换上两个三年级左右的孩子，爬到了巢里，是明良和一男。

然后，两个人嚷起来：

“叔叔——们，请停止施工吧，不见到市长先生，我们就不从树上下来！”

树底下的孩子们也齐声高喊：

“请停止施工吧，我们要和市长先生对话！”

从明良爬上去的那棵树上，垂下来一张长长的纸，上面写着同样的话。

不过，工程似乎没有中止的动静。推土机仍旧开着，翻斗车仍旧运着土。施工的大人们开头吓了一跳，但立刻就互相嘀咕开了：

“什么啊，不用一个小时就下来了。”

不过，过了一个小时，树上的明良对边上树上的一男说：

“不停止，绝对不下去啊！”

“放心。”

一男笑了。水、食物以及毛毯，全都被抬到这巢上来了，能过上两三天。明良和一男觉得自己一半已经都变成“人猿泰山”①了。

傍晚了，两个人还没下来，施工的大人们像是有点发慌了。一边瞧着树上和树下的孩子们，一边两三个人轻声商量起来。

一个人向原野外边跑去。

“好像是说去打电话。”

下头的直行喊。

好像是被电话叫来的，没多久，校长先生和洋子老师就来了。

“喂，孩子们，该吃晚饭了，快回家吧！”

校长先生瞪眼睛了，树下的孩子们开始回去了。但是，直行、裕子、一郎和野蔷薇学校来的胖子明良以及另外三四个孩子，仍然还坐在树下面。

“明良和一男，危险，下来吧！过后老师会和市长说的。”

---

① 美国小说家巴勒斯的惊险小说《人猿泰山》中的主人公。小说叙述了一个生长在非洲密林中的白人青年的故事。多次被拍成电影。

校长先生抬头看着树上说。

“市长先生不到这里来，就不下去。”

明良闭着眼睛回答道，胸口扑通扑通地跳着，这还是头一次不听校长先生的话呢！

“我想尿尿，怎么办？”

一男心中不安地说。

“从这里尿不就行了嘛！老师，要尿尿了，请让开。”

“哎呀，真是！”

洋子老师和孩子们笑着逃开了。等校长先生也绷着脸离开了原野之后，两道尿落了下来。

尿完了尿，明良和一男都平静下来了。两人拿过面包，看着晚霞吃了起来。

树下面，洋子老师对校长说：

“先生，我去给市长打电话。”

“啊不，再等一下。等妈妈们来了再说。”

妈妈们跑到鼹鼠原野上来了。

“一男！怎么回事？给人添乱子，下来！”

“我也不想待在树上啊，可市政厅的人根本就不和我们好好说话。”

被妈妈批评了一顿，一男不再是人猿泰山了，用哭腔说。

“好啊，明良！你也在？你家远着哪，快回家去！”

明良的妈妈对树下的胖子明良说。

“嗯，我走了。”

胖子明良站了起来，对着树上喊道：

“坚持到底啊！明天早上，我给你们拿方便面来啊！”

除了四人组和一郎，别的孩子全都回去了。

响起了哭声。裕子妈妈要把裕子拖回去，可裕子紧紧地搂着树哭开了。

“啊——啊，一郎！”

一郎和直行分别挣开了妈妈的手，爬到树上去了。

爬到了树上的直行，用一半是哭腔的声音叫了起来：

“要住宅，可也要玩的地方呀！”

下面的大人们一下子静了下来了。

“还是请市长先生来吧。请求一下吧，也要

想一想孩子们的心情。”

响起了一个又尖又高的声音。天马上就要黑了，树上的孩子们花了一点时间，才听出来这个尖锐的声音是洋子老师的声音。和往常不一样的声音。

“先生，后面的事就拜托了。”

一个像是工程负责人模样的人，来到校长先生身边说。

“请等一下，你是市政厅的人吗？”

又是洋子老师的声音。

“是的。”

“是市政厅的人的话，请和我一起去市长那里。让开推土机和翻斗车的人回去好了。”

“真麻烦啊，我还有事哪。”

“有事也没办法。你是说，出了这种事，你也不向市长先生汇报吗？”

“我也去。”

裕子的妈妈说。

“我也去！我有一个上四年级的孩子和一个上一年级的孩子。没有了玩的地方，孩子们多没

意思啊。好，走吧，三木先生。”

开推土机的人这样说着，抓住了市政厅的人的胳膊。

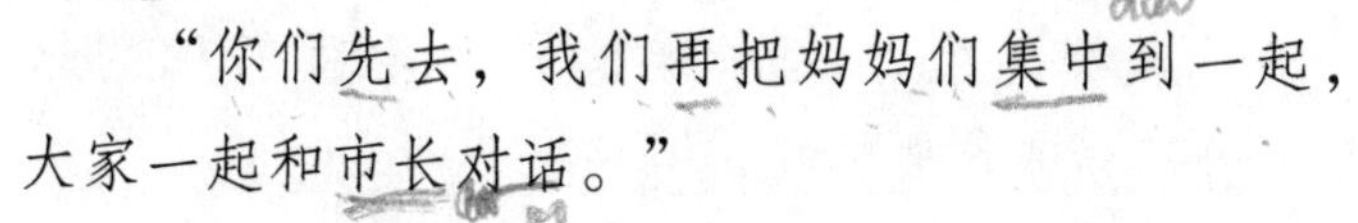

“你们先去，我们再把妈妈们集中到一起，大家一起和市长对话。”

明良的妈妈说。

这回，树上的孩子们一下子静了下来了。洋子老师发出了又尖又高的声音之后，不知为什么，情形就发生了变化。

“本以为大人冷冰冰的，好像不是这么回事。”

直行对明良悄声说，一男和一郎，还有树底下的裕子也这么想。

这天晚上，猫头鹰森林的猫头鹰，一直到半夜十二点为止都没有叫成。因为鼹鼠原野上全是人，不停地大声说话，手电筒又照来照去的。

等到去了邻镇的市长赶来的时候，已经是晚上十点了，还来了好几位市议会的议员。妈妈们、爸爸们、学校的老师们、市政厅的人们，都拥到了鼹鼠原野上。

“怎么办啊，变成大事件了！”

一男和一郎吓得说不出话来了，直行和明良的心怦怦地跳着，说道：

“市长先生，这片鼹鼠原野是我们玩的地方。请不要毁掉我们玩的地方。”

“我非常理解你们的心情。不过，需要住宅的事，你们也是知道的吧？”

“是……是的。”

“所以，工程是不能中止的。不过，我答应你们，在这片住宅中建一个游戏场吧！”

聚集着的大人们一齐拍起手来。市长在车子的灯光中继续说：

“原来预定建一个小小的游戏场，有秋千，有滑梯。”

“不要秋千，秋千只能坐一个人。也不要滑梯，还是悬崖有意思。”

直行叫道。市长重重地点了点头。

“知道了。建一个有池子，有土丘，有森林的游戏场吧！”

听了市长的话，直行他们简直就像做梦似

的。

*

一年以后。

鼹鼠原野的红土悬崖已经没有了，猫头鹰森林也没有了。取代它们的，是排成十栋、两百户的混凝土建筑。

这个小小的住宅区的边上，有片小树林，有座小土丘，有个小池子。林子的入口，竖着一块写着“鼹鼠公园”的牌子。

四年级的直行他们四个人一走过来，一个小小孩的妈妈，告诉正在这片游戏场上玩着的小小孩：

“就是这些大哥哥们，建了这个公园啊！”

直行他们听到了那位妈妈的话，赶紧跑开了。跑到了妈妈听不见的地方，明良叫道：

“这叫山吗？这叫森林吗？没有猫头鹰，也没有独角仙①！市长骗人！”

① 鞘翅目独角仙科大型昆虫，黑褐色，雄虫头顶有长长的角。

“不过，总比没有要好呀。我们如果不那样做的话，还有，一郎、胖子明良、洋子老师和妈妈们如果不帮助我们的话，这片住宅就只有一个更小的游戏场了！”

直行和一男沉默了。两个人想，不管是明良的话也好，裕子的话也好，都是实话。

四个人又走了起来。一年前，等洋子老师的电话那天看过的周刊上的未来世界，浮现在了四个人的脑子里。

三十层以上的大楼群、比新干线还快的单轨铁路——可是，那个世界上还有真正的森林吗？四个人都开始怀疑起来了，他们开始渴望有一个真正森林的世界了。

根据茜书房 2002 年 6 月第 124 版《鼹鼠原野的伙伴们》及童心社 1993 年 11 月第 1 版《古田足日儿童书第 3 卷》译出。